"J'aime aller chercher
les petites voix coincées
dans les interstices
d'autres textes, les
envers secrets des
grands classiques."

CLÉMENTINE BEAUVAIS

Décomposée

L'ICONOPOP

« Rappelez-vous l'objet que nous vîmes, mon âme,
Ce beau matin d'été si doux :
Au détour d'un sentier une charogne infâme
Sur un lit semé de cailloux,

Les jambes en l'air, comme une femme lubrique,
Brûlante et suant les poisons,
Ouvrait d'une façon nonchalante et cynique
Son ventre plein d'exhalaisons. »

CHARLES BAUDELAIRE

« Une charogne », *Les Fleurs du mal*

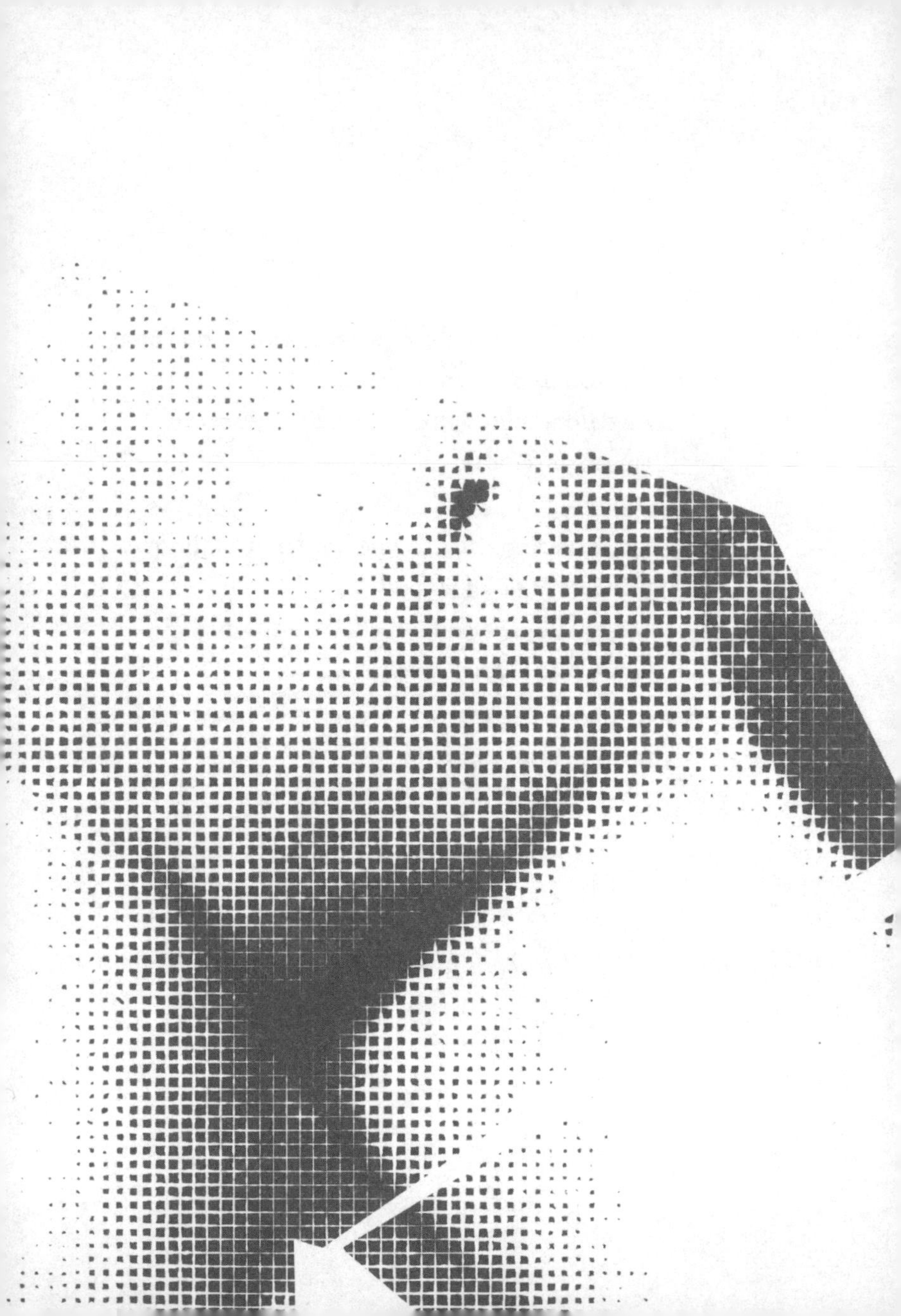

I. DÉTOUR D'UN SENTIER, 1855

Rappelez-vous l'objet –
longue griffe forgée
pour aller décrocher, au fond du couloir rose de velours rose,
un être. Une âme, peut-être. Miniature.
Oh j'en ai infligé des griffures.
Ce nom curieux,
ce nom de criminelle léger comme un nuage,
faiseuse d'anges,
ce nom-là c'est le mien. C'était.
Nom de celles qui déracinent
au creux des amies et des sœurs
les graines plantées par erreur.
Nom de crime comme une nacelle
d'osier, ouatée,
qui rend au ciel ce qu'on a déchiré,
au paradis toutes ces petites perles de chair,
ces anges.

Mes femmes,
elles pleuraient parfois (souvent),
parce qu'il faisait mal, cet objet-là,
quand il s'insinuait en elles,
mais finalement,
pas plus que tous les autres, pas plus que ce déferlement
de chairs blanches des hommes dans les nôtres, roses,
depuis qu'on en a l'âge,
et même longtemps avant ;
mes femmes elles me remerciaient de les soulager,
de leur dire : *ce qui est entré là va en sortir.* J'allais cueillir
cela, avec d'infinies précautions, sans me piquer,
sans trop défricher tout autour. Précisément.
La mûre tiède me tombait dans la main, et son jus de septembre.
J'en ai éparpillé de ces petites billes,
de ces tout petits étrangers.
Où sont-ils maintenant, ces anges que j'ai faits ?
Ces souffles minuscules.
Leurs âmes et la mienne, désormais, sont comme des bulles.
Je n'ai pas plus qu'eux mérité mon sort,
mais je crois que ma mort, à moi,
est quand même plus, disons, bizarre,
laissée là à la vue des regards

des promeneurs et des poètes,   des amoureux,
laissée là à l'assaut des bêtes,
    et je crois que ces passants se demandent encore :
    est-ce que ce corps c'est celui d'une bête, ou bien d'un être   humain ?
Ils préfèrent penser une bête, c'est certain, même si l'on distingue
des jambes, peut-être,   un buste, un reste
de cervelle, gras comme du beurre,
    sous le couvercle éclaté de la tête,
    mais tout cela est-ce une bête
    ou un…   non, faites
    que ce soit une bête, ou du moins
    préservez-nous de toute certitude. Empêchez-nous d'imaginer
        que des désirs   humains   aient un jour fait grincer cette ossature,
        des peurs   humaines   palpiter cette peau,
        un cœur   humain   grelotter cette gorge.
Disons *c'est une carcasse,* quelque chose qui évoque
des os s'entrechoquant chez un équarrisseur,
pas le squelette d'un semblable. D'une semblable.
    Un frère. Une sœur.   Non : une charogne.
        Là-bas, une bête grogne, m'ayant arraché un morceau
    qu'elle ronge de ses crocs caillouteux,
    j'entends ça sonner creux, râpeux,

comme le bois sous le canif des jeunes garçons
qui se sculptent des flûtes dans les branches mortes.
Les garçons ont eu droit au couteau,
longtemps avant que moi
j'aie droit
à mon objet.
Nous en reparlerons. Il sera question, beaucoup,
d'objets coupants. En attendant, voilà la situation :
ceci n'est plus mon corps. Dans la mort, il est devenu celui
de tout le monde. Il appartient, au détour d'un sentier,
à tout le monde.
Faites-en des poèmes. Je préfère cela à la tombe,
à la pierre roussie de lichen, je préfère.
C'est ma dernière coquetterie.
Toi, le poète qui passe, avec ta muse sous le bras,
brune et rose,
comme une musette en bandoulière : tu feras l'affaire.
Écoute ma musique, tandis que je me décompose.
Et pendant que je vous inspire,
et pendant que vous m'inspirez,
que votre souffle se sature
de mes humeurs disséminées,
juste avant que je disparaisse

absorbée par la terre et les bestioles,
juste avant que le ciel,
ou la nature, ou autre chose, me rappelle,
laissez-moi me rappeler.
Il faut de la concentration pour raconter
toute une vie, le temps d'une promenade amoureuse,
encourager celui qui contemple mon corps
à se rappeler le sujet
qui s'évapore,
ce beau matin d'été si doux.
Mes anges que j'ai faits, où êtes-vous ?

II. MONTAGNE, 1820

Viens voir, viens grignoter ce lobe d'oreille,
enfoncer tes petites dents, pas trop fort,
mordillement de chaton joueur, qui désire trop ce qu'il dévore
pour vouloir vraiment le gober.
Ce lobe d'oreille, viens voir viens jouer avec.
C'est comme de la viande, comme du coussin,
comme du bébé, comme tout ce qui ne doit jamais
mourir. La seule parcelle de nous à se souvenir
de la plus tendre enfance,
même quand tout autour est plissé,
affaissé.
Pendeloque d'enfance. C'est pour ça qu'on veut en manger.
Grâce dit mon grand-père *enfin tu me fais mal*
cette enfant me fait mal elle me mange l'oreille
cannibale anthropophage
petite sauvage.
Ses insultes sont pour rire, elles rebondissent
comme rebondissent entre mes dents ses lobes, il les dégage
de ma bouche, me repousse, le fauteuil crisse.
Qu'est-ce qu'on va faire de cette petite harpie-là,

dit mon grand-père. *Il va falloir l'abandonner dans la forêt.*
Elle se fera dévorer par un loup,
et puis c'est tout.
C'est elle qui le dévorera, prédit ma mère.
Avec ses dents de lait.
Je les imagine, mes dents, s'enfoncer dans la fourrure,
le goût de terre crue dans le pelage rêche
comme les herbes sèches au plus jaune de l'été.
La viande du loup coriace pire que la pire rosse,
mais dans le sang la saveur de noisette
des écureuils.
J'ai envie de manger toute la nature.
Ce souvenir-là, je dois avoir trois ans,
les soldats sont passés devant notre maison,
j'ai vu leurs vestes rouges. Ils vont là où c'est blanc.
Ils reviennent gelés (pas tous) (beaucoup sont morts).
Ils garderont la neige dans le sang
jusqu'au bout de leur vie. Je grandis, un petit peu,
pas beaucoup,
j'ai toujours été petite. Même maintenant, pourriture,
même tartinant la terre comme une confiture,
je ne prends guère de place. Je tiens dans un espace
compact.

Les soldats passent, les saisons passent, je pousse
dans ces montagnes
où les garçons aux pattes de grillon
élèvent des chèvres, et les filles cousent, avec du fil mauvais,
des broderies utiles, et tristes, des serviettes, des dentelles,
un trousseau de mariage pour le jour où la petite église grise
tintera pour elles.

Moi aussi, pendant ce temps,
j'apprends l'aiguille et le fil
mais pas si sagement.
Ce petit art de femme, les assauts patients qu'il permet,
il me semble les savoir entièrement déjà :
l'aiguille me guide et me soumet.
On dit : quel trousseau notre Grâce se préparera !
Comme elle rendra jalouses les autres demoiselles !
Mais je sais, moi, que mes aiguilles œuvreront
à autre chose. Elles sont la seule arme
dont je dispose.

Je ne grandis pas beaucoup.
Mon lit susurre
(un seul lit pour toute la famille) ;
les parents, durs dans la journée,
la nuit, se font mollesse. Corps de mère lassé

somnole déjà quand s'y enfonce

corps de père lassé.

Le feu aussi se lasse dans le foyer,

les brindilles croustillent, le père grogne,

la mère ronfle, les braises sifflent,

le père souffle,   le silence se fait.

Et la glu du sommeil leur scelle les paupières.

Ensuite le frère.

Et moi.

Le sommeil ne vient pas saisir le frère

tant qu'il lui reste son désir, qui tressautait

au rythme des exhalaisons des parents.

Le frère est le plus grand. Après lui il y a moi,

puis deux petites sœurs. Alors dans ce lit je fais barrage,

je fais mur,

parce que moi j'ai l'âge de raison ;

elles, elles sont aussi légères que du liège,

les os encore comme les joncs

dont on fait les paniers. À peine assez solides

pour transporter une brassée de fraises. Moi tout est dur déjà

tout est muscle,

presque mur,

je laisse le frère prendre ce dont il a besoin,

il m'en coûte à la fois beaucoup et rien ;
pendant ce temps l'haleine des toutes petites filles
contre mon dos
dépose des mots, *nous ne dormons pas*, en buée sur ma peau.
Elles me savent bouclier.
Les petites sœurs sur le même lit qui craque,
le même radeau. Je les protège.
Le lendemain je mordillerai leurs souples lobes beiges,
elles glousseront, comme grand-père,
elles diront que je suis une sauvage,
laisse-nous tranquilles, Grâce, on a des choses à faire.
Moi je contemplerai ensuite, en allant me baigner à la rivière,
reflétées dans les plis de l'eau, les flétrissures,
là où le frère a dû forcer
parce que c'était trop sec, ou trop serré,
je pense que c'est normal que ça fasse mal,
je ne sais pas encore
que notre corps est un pressoir à huile,
qu'il suffit de lui porter nos désirs comme des olives
vert clair, pour qu'il en exprime le jus,
quand il attend,
quand il espère,
Et un beau jour j'apprendrai ce glissement.
Et un beau jour je guérirai des meurtrissures.

III. RAVIN, 1821

Et un beau jour on tue le frère
sans faire exprès. Mon souvenir est flou,
mélasse de matin d'été si doux :
dans ma tête,
les petites sœurs se confondent avec les chevrettes,
petits sabots de bois, petites cornes de petites sœurs.
Il y a nous quatre, et le troupeau, et le ravin.
Les boucles des petites sœurs dans le soleil
sont vertes comme la vigne vierge,
les mollets des petites sœurs
sont des poires vertes.
Le frère est là, aux genoux durs comme des pierres,
au bref couteau d'os, qui taille un os
de bœuf, qu'il a trouvé par terre.
J'ai oublié le déroulement exact des événements.
Je revois le troupeau et le ravin.
Le frère montre l'os aux petites sœurs dont les lèvres violettes
évoquent la glycine. Il a gravé des choses sur l'os.
Elles s'approchent.

Les abeilles butinent un buisson de lavande.
Les petites sœurs ronronnent comme les abeilles dans la lavande.
Les chevrettes autour gambadent. Le frère montre l'os,
et regarde les mains des petites sœurs,
qui sont pareilles aux campagnols, même rapidité,
mêmes reflets dorés dans le soleil.
Alors le frère fait un geste glissant,
salissant, et je sais
qu'il voudrait attraper ces campagnols,
écraser entre ses doigts les vignes,
presser contre sa peau les fleurs violettes de la glycine.
À ce moment-là le frère meurt.
Les circonstances sont difficiles à expliquer.
Il y a un pied qui glisse, et un couteau en os qui tombe,
et l'os gravé qui tombe,
tous ces petits chocs blancs, juste avant
le choc rouge,
qui fait un bruit tout à fait différent,
au fond du ravin escarpé.
Un bruit de gros chou tranché à la hache.
Le frère est tombé, palpitent les petites sœurs, *le frère est mort,*
c'était un accident, simplement un caillou
trop rond, et son pied trop près du trou.

Les petites sœurs pleurent des larmes pépins de verre.
On enterre le frère.

Je n'ai plus à faire bouclier. Mon corps est moite de sommeil
du coucher du soleil au lever du soleil.

Quand le père a fini avec la mère, quand le silence est tel,
dans la seule pièce,
que j'entends les ruisseaux de sang dans mes oreilles,
je ne suis plus un mur,
l'haleine des petites sœurs ne souffle plus

nous ne dormons pas :
elles dorment.
Mes gerçures guérissent. Je grandis.

IV. DÉTOUR D'UN SENTIER, 1855

Pourrir ainsi, au détour d'un sentier:
un grand festin pour les toutes petites volontés.
On m'emporte à dos de fourmi, de façon très organisée.
Je suis une ligne de miettes qui rentre à la maison.
Les moucherons
ont des délicatesses de danseuses,
ils marchent à petits pas comptés
sur les globes laiteux de mes yeux morts.
Ils se croient sur du verre fumé.
De mon vivant j'en ai connu des parasites; ils étaient moins polis.
Il y a eu les hommes des maisons closes,
même les mieux lotis,
qui derrière des buissons de roses
apportaient leur ennui, leurs maladies,
leurs désirs imprécis, j'ai vite abandonné la tâche,
de toute façon je n'étais pas assez belle et je n'étais pas assez grasse,
mes côtes comme un clavier dur, ils se vengeaient de ma maigreur
en jouant du clavecin dessus.

J'ai connu d'autres parasites à Paris : les petits,
poux et puces et punaises,
    cadeaux des décoiffés et des draps jaunes,
et pire, les tout petits, ceux qu'on ne voit pas à l'œil nu,
    mais qu'on attrape nus :
    celui qui fait tomber ton nez,
    comiquement, celui qui te pourrit de l'intérieur.
                    Jeanne,
        toi qui te serres contre ton poète sous ton ombrelle,
je sais que tu en es rongée.
Tu l'as, la maladie. Je le sais,
car moi, pulvérisée, je me blottis aussi   contre toi, contre lui,
petites particules sur ton poignet châtaigne.
À nouveau le voilà qui t'appelle : *Jeanne.*
        Cette charogne (moi) va lui inspirer un poème
                en ton honneur.
        Quel privilège.   Je n'ai jamais eu ce bonheur :
un homme qui regarde la pourriture,
et qui se dit qu'il m'aime,
et qui se dit : *et pourtant vous serez semblable à cette ordure.*
et qui se dit : *il faudrait rédiger*
        quelques vers bien sentis à ce sujet.

et qui fera rimer *reine des grâces*
avec *floraisons grasses.*

Jeanne, est-ce que cette idée te glacera ? Est-ce qu'elle te rendra
heureuse ? À oublier que cet homme-là t'a donné aussi
la maladie, qui te fera mourir,
cette mort dont il s'horrifie,
semblable à cette ordure, impossible, pas elle,
si brune et douce sous l'ombrelle.

Je ne peux pas l'imaginer, pense-t-il, et il l'imagine quand même.

Tandis que sur mon corps se compose un poème,
ô la reine des grâces, Jeanne, raconte-moi,
de cette façon muette qu'ont les muses de transmettre
une sorte de vérité, d'où tu viens, et où tu vas :
il reste encore tout le chemin de terre à emprunter.
On a le temps.

Laisse-moi lire les plissures de ton coude
pour savoir cette vie dont tu t'es dégagée.

V. TOUT UN MONDE LOINTAIN, 1830

Jeanne des îles, née près de la mer,
là où le soleil est plus blanc que neige,
là où la mer est chaude comme un bain,
loin. Tu es ce qu'on appelle une beauté exotique,
prisée, parce que son voisinage évoque aux hommes
les exhalaisons du rhum,
les typhons, les femelles de bêtes sauvages
griffues, et ces fleurs en forme de sexe de femme,
pistils crochus,
et le lisse des bois rares, les longues plages
où le prochain bateau n'est pas encore en vue.
Ton poète déplie pour toi cet éventail :
Jeanne des îles, pour lui tu es l'île,
et tout ton corps est île, toute ta peau sable chaud,
et parfums, et plantes, et animaux piqués dessus,
et puis sa bouche à lui elle est comme les caravelles
qui accostent dans les encoches des côtes,
fichent l'ancre dans les coraux.
À la descente, les chaloupes perlent la baie.
Dénichent les richesses.

Tu portes ces désirs dans tes ombres et dans ta souplesse.
Sur ta peau, le poète dépose une résille de salive ;
sur la feuille, des traits d'encre.

Il te mangerait bien, tu dois avoir un goût de mangue,
mais une muse,   c'est comme les lobes,
ça ne se gobe pas tout rond.
Ça s'entretient à coups de langue.

Celle de ton poète est leste. Tu te demandes parfois :
que restera-t-il de son œuvre,   de moi,
quand on sera depuis longtemps partis ? Je te promets,
par cette vision que j'ai ici,   et qui va loin au-delà du sentier,
qu'il restera beaucoup.   On le connaîtra bien.
Ce sera l'un des grands.

Tous nos enfants l'ânonneront.
Tous nos adolescents recopieront ses vers.
Et toi, on te connaîtra, grâce   à lui.
Tes cheveux et ta peau et tes odeurs
hanteront d'autres lieux, d'autres époques.

Tu seras dans la bouche d'autres hommes
qui, comme lui, te rediront,
te redonneront

vie.

*

CHARLES vous pensez encore à cette carcasse

JEANNE laquelle donc

CHARLES mais enfin celle qu'on a vue
celle qu'on a sentie
les jambes en l'air
la puanteur si forte
celle qui a failli vous faire défaillir
sur l'herbe :
vous crûtes vous évanouir

JEANNE pas un instant
pas un instant je ne crus m'évanouir

CHARLES allons bon
sur l'herbe Jeanne
j'ai bien senti votre bras mollir

JEANNE pas une seconde je ne crus m'évanouir

CHARLES j'ai vu vos joues pâlir
Jeanne :
vous crûtes vous évanouir

JEANNE pas un instant pas une seconde
je ne crus m'évanouir

CHARLES Jeanne je sais ce que j'ai vu ce que j'ai senti
pas la peine de me mentir :
La puanteur était si forte que sur l'herbe

vous crûtes vous évanouir.

Jeanne vous riez pourquoi riez-vous ?

JEANNE — mais parce qu'enfin qui dit *crûtes* ?

qui, avec sérieux, peut dire :

crûtes ?

crûtes est un mot qui fait rire.

*

Non, jamais tu ne crus t'évanouir,

c'est le poète, c'est lui qui manqua défaillir,

en me voyant, en me sentant,

cette poussière de moi dans un creux de sa gorge,

aigre comme un fromage blanc,

moi j'ai goûté sa bile sur sa glotte, mercure jaune.

Il crut s'évanouir.

Et c'est ton bras qui l'a porté.

Toi, des charognes, tu en as vu d'autres,

dès l'enfance, cette enfance pleine de mystère,

sur les terres conquises,

charognes de bœuf charognes de cheval

un jour une charogne de raie,

oubliée à un crochet, souriant,

spectre blanc aux boyaux débobinés, maillons violines ;

tout au bout, le boulet crème de la vessie.
Cadavres humains, tu en as vu aussi, de tous les âges,
pêcheurs échoués sur la plage, tas de gelée,
enfants dégringolés des arbres comme des abricots,
et de très vieilles personnes, la peau de cette griseur tendre
des souriceaux.
Tu as enterré tant de corps, dans ce que Charles appelle
tes îles paresseuses.
Il en aurait fallu bien davantage
pour que tu *crusses t'évanouir,* toi,
sur l'herbe verte, vert petit pois, du petit bois,
au détour d'un sentier,
à cause de moi.
Moi non plus à ta place je n'aurais pas cru m'évanouir,
ils auraient paré à ma défaillance,
tous les cadavres de ma connaissance,
depuis le frère ;
il y en a eu des charognes, Jeanne, dans nos vies,
les corps de grands bourgeois mangés par les substances,
les corps des putes et des enfants des putes,
des vieilles voisines et des anciens amis.
Ce n'est pas nous qui crûmes, Charles.
C'est vous qui crûtes.

VI. RUE DE LA FEMME-SANS-TÊTE, 1843

Le poète a installé Jeanne au 6 rue de la Femme-sans-Tête,
ruelle sur une île, pour cette femme des îles,
mais plutôt que les tessons bleus de l'océan,
il y a la Seine glauque à la fenêtre ;
ruelle d'une décapitée, pour cette femme sans nom,
Jeanne Duval peut-être Lemer peut-être
un autre nom peut-être,
les muses ont-elles besoin de nom de famille ?
Quand je suis venue à Paris, moi aussi, j'ai perdu mon nom,
comme on laisse échapper un sou dans un égout.
J'emportais, assises sur mes valises, les petites sœurs.
Elles aussi ont voulu voir Paris.
Depuis que le grand-père est mort,
les parents presque morts, chez nous c'était plein de périls,
de potentiels maris. Ils jaillissaient de toute part
pleins de promesses molles et de moustaches dures.
J'ai dit un jour : *On s'en va*, les petites sœurs sont venues avec moi
dans le coche,
nos carcasses ricochaient contre celles

d'un ferrailleur, d'une poissonnière,
d'un étudiant de la Sorbonne qui avait dans la poche
l'adresse d'une amie sans mari ;   sans chef ;
Chez Madeleine, rue de la Femme-sans-Tête
(par coïncidence).
Nous y sommes entrées. La tempête faisait jacasser les fenêtres.
À l'intérieur tout était chaud
et doux comme le dedans d'une bouche,
pareillement saturé d'odeurs lourdes,   de scintillements,
de dorures, de pampilles,
de cuisses blanches et fermes comme des dents.
Tout cet endroit semblait sourire.
Madame Madeleine nous a fait de la place
    sur ses capitons rouges,
    au beau milieu des fleurs éparpillées.
Cette amie-là nous a habillées
    de voilures absinthe, qui nous donnaient un côté maladif,
    rendaient blettes les pointes de nos seins,
    comme les mirabelles à la fin de l'été,
    vertes nos joues piquetées de mouches.
Les petites sœurs ressemblaient à des tapis de mousse.
Moi, à une sorte de sorcière.
            Aucune femme dans ce lieu doux n'était tout à fait douce :

on nous désirait mieux un peu amères.
Cette amie-là nous a mis sur le corps
bien des fragrances âpres, qui suscitaient la soif
chez les hommes qui y promenaient leurs papilles,
et aussi une étrange répugnance,
car il y avait du sel, du musc, du cuir, pas des odeurs de fille,
des odeurs d'homme ;
et les hommes se troublaient de ce voisinage,
mais aussi le goûtaient, et se troublaient,
et par acquit de conscience,
ensuite, parfois, frappaient ces corps qui étaient
une troisième chose, ni femmes aux parfums rouges et roses,
ni hommes rances, une autre sorte d'être. Verdâtre, spectral.
Et dans nos marécages, ils clapotaient fébriles.
J'imaginais en moi
tantôt une carpe, tantôt une grenouille, selon la taille,
selon si cela s'écaillait.
L'eau poissonneuse laissait sur le velours des bubons blêmes.
Les petites sœurs se sont vite habituées à cette vie,
qui leur présentait bien des avantages. La chaleur des recoins,
les lourdes perles, pâlottes remplaçantes
des cerises qu'autrefois elles pendaient à leurs oreilles.
Leurs lobes s'étiraient au-delà du reconnaissable.

Ils se faisaient tout mous.
Presque plus rien en eux de leur enfance.
C’est pour cela que j’ai déserté la maison.
Je ne puis me résoudre à cette déchéance,
à des petites filles dont la grâce meurt
en quelques années,
entre les langues froides des chandeliers.
Et tu vas aller où ? Et qu’est-ce que tu vas faire ?
s’enquéraient les petites sœurs,
et les amies qui étaient comme des sœurs.
J’ai dit que j’allais travailler comme couturière.
C’était mon souhait. Même si je savais,
quelque part dans mes profondeurs,
que mon aiguille me mènerait sur des chemins peu ordinaires.
Une rue claire, une rue sombre,
puis des dizaines d’escaliers,
enfin le détour d’un sentier.
Je le sentais ; pourtant je suis partie.
Je suis partie sur les pavés tapés dur par la pluie.
J’ai traversé la Seine épaisse
qui digérait la lune par petites lamelles.
Ces années-là,

j'ai fait de la couture.   Et puis un jour,

j'ai changé de chemin.   L'aiguille m'en a montré un autre.

Sur ce chemin nouveau,

je t'ai rencontrée, Jeanne. Tu ne t'en souviens pas,

ou peut-être

une mémoire des membranes

s'en souvient-elle ; de mes fils et de mes aiguilles,

qui t'ont rencontrée, Jeanne,

en haut d'un escalier,

dans des cliquetis métalliques.

Et ce monde rendait une étrange musique.

VII. DÉTOUR D'UN SENTIER, 1855

CHARLES *et ce monde rendait une étrange musique.*
JEANNE étrange comment ?
CHARLES *comme l'eau courante et le vent.*
JEANNE mais encore ?
CHARLES *ou le grain qu'un vanneur,*
d'un mouvement rythmique,
agite et tourne dans son van.
JEANNE tout cela !
CHARLES qu'en penses-tu ? on l'entend ?
JEANNE cette rime, vent-van… c'est riche,
ou presque riche.
CHARLES on l'entend ? la musique ?
JEANNE oh, on entend,
on entend mille choses, on entend
beaucoup,
toutes ces comparaisons, elles sont
beaucoup,
je veux dire, il est question d'eau,
puis de vent, puis de grain,

c'est très   volumineux, on en a plein les oreilles,
ça coule, ça ruisselle, ça glisse,
on ne peut pas ne pas l'entendre il faudrait
vraiment le faire exprès.

CHARLES   alors donc on l'entend ?

JEANNE   oh, bien certainement
les tympans s'en emplissent.

Jeanne a la moquerie souple,
roseaux de sarcasme éraflant la surface
de ce lac-miroir qu'est le poète,
où elle se reflète,
et il voudrait que sa muse parfois soit un peu plus   disons,
plus enthousiaste,
qu'elle s'écrie *l'eau courante et le vent, voilà une trouvaille*
qui tient tout simplement   de l'inspiration divine,
elle a eu ces moments avant,   autrefois,
quand elle était petite,
quand il tenait son corps de quinze ans,
compact comme un pépin de pomme,
lisse comme un marron d'automne.
À cette époque les mots qu'il confiait aux coupelles
compliquées, petites, de ses oreilles,

lui tiraient des soupirs. Elle disait *génie*, elle disait
je ne mérite pas que tu me glorifies,
pourquoi moi ? *j'ai une chance extraordinaire.*
Mais ces temps sont enfuis autant que les corps tendres,
tandis que la maladie la grignote,
elle égratigne son poète,
fait frétiller lassement son ombrelle,
au détour d'un sentier juste après ma rencontre,
et chez lui la surface plisse, juste un tout petit peu, à peine plus
que ne l'agaceraient les pattes des puces d'eau.
Jeanne vous manquez de passion,
surtout lorsque me viennent des projets de poèmes,
il me semble toujours qu'ils vous gênent, même
quand vous en êtes l'objet.
Vous vous trompez, Charles.
Rappelez-vous l'objet
du poème : une charogne.
Infâme.
Sur un lit semé de cailloux.
Ils rentreront ce soir à Paris où
ils dîneront dehors,
faces maussades au-dessus d'un bouillon,
d'une savate de viande en sauce,

d'un flan pâteux.

Ils tomberont sans doute sur une connaissance,

à qui ils conteront cette mésaventure.

Aujourd'hui même, je vous assure.   *Au détour d'un sentier.*

Une charogne.   *Infâme.*   *Sur un lit semé de cailloux.*

La puanteur était si forte…   *Charles, arrêtez, jamais je ne –*

Jamais elle ne crut s'évanouir.

Ces provocations-là l'exaspèrent,

il la présente à ses amis d'une manière

qui fait qu'ils la détestent, ou la dédaignent ;

plus tard ils diront d'elle :

ah ! comme elle gâchait Charles ! Bien davantage

qu'elle ne l'inspirait.   *Elle était une muse orageuse,*

une volée de frelons dans la bouche.

On ne sait pas bien ce qu'il lui trouvait.

Ils diront d'elle qu'elle a failli le tuer,

Elle aurait pu le tuer,

elle aurait pu le pousser   *à se tuer.*

On est passé à rien de ce que Charles meure

par elle, pour elle, ou à cause d'elle,

à rien de cette tragédie.

Elle l'a envoûté.

Pourtant je me souviens de toi, Jeanne, en haut d'un escalier…

VIII. CHAMBRE EN HAUT D'UN ESCALIER, 1841

Je me souviens de toi, Jeanne la muse, en haut d'un escalier.
Rappelle-toi l'objet dont je m'étais armée.
J'étais devenue couturière, ce qui veut dire
la journée,
entremetteuse de tissus,
tabliers, robes, étoles et jupons,
rubans, dentelles, boutons,
rapiéçage et éventuelles réparations ;
et la nuit,
ravaudeuse de corps déchiquetés.
Pas sous les yeux des docteurs ;
ils n'aiment pas les femmes qui s'interposent,
qui osent ponctuer de petits points serrés
le gros laçage vite effectué par eux,
perlant de pus,
rouge rubis violent,
chaleur de braise,

le rouge qui connaît la mort par son prénom.
On m'appelait au chevet des chairs hurlantes,
des femmes déchirées par de gras nourrissons,
par telle ou telle opération,
par quelque poing de pierre, pour celles qui
avaient cherché
des noises.
Souvent c'était en haut d'un escalier crissant,
derrière une porte en bois, sur un lit
aux relents de chou cuit.
Des enfants petits et secrets
se blottissaient dans les fentes des murs.
Je commençais par sortir mes objets :
aiguilles, épingles, tout l'attirail qui pique et qui répare,
ciseaux, minces couteaux, rasoirs,
linges blancs, ou presque, ou du moins pas trop roses
(au matin je les frottais dans l'eau glacée,
où le sang glisse, en docile anémone) ;
alcool aux crocs solides, qui mord la gorge.
Et tout cela rangé dans une petite mallette
de cuir noir craquelé,
dans des encoches prévues à cet effet,
que j'avais faites,

où ils tenaient parfaitement.
Oh, comme j'étais satisfaite
de les voir briller là, sages comme des biscuits
dans les boîtes des grands chocolatiers !

Jeanne, je me rappelle l'escalier qui m'a menée à toi,
hirsute de poussière, je me rappelle la chambre
grinçante et brune,
le lit épais, soupe de draps ; la table,
le doigt gris-vert de la chandelle,
la jeune fille musaraigne qui m'a dit : *elle est en piètre état,*
elle est tombée la tête la première contre une console.

Point de console dans ta chambre,
c'était ailleurs que tu étais tombée,
en quelque salon plus cossu.

Dans cette chute,
le bois n'avait pas eu raison de l'os,
bien protégé par son coussin de chevelure ;
cette chevelure qu'il a écrite, le poète : *fortes tresses*
cheveux bleus
crinière lourde.

Mais l'étui grège de la peau s'est déchiré,
les boucles noires, dans cette glu bleu bronze du sang versé,
ont la rigidité de celles des statues.

Et Jeanne, ton visage était comme les statues,
et tout ton corps était comme les statues.

J'ai dit : *elle est tombée contre une console donc ?*
La femme musaraigne a confirmé,
en détournant les yeux,
en s'affairant à réveiller un feu malingre,
et dans les danses de ce feu on devinait
un homme, en plus de la femme et de la console.
(Je sais qui, à présent.)

Le docteur est venu, j'ai constaté,
car tu étais rasée, bien que pas nettement,
tout le long d'où bavait cette blessure,
sillon glabre rayant ta chevelure,
et il y avait eu comme un semblant d'effort
pour en rabibocher les deux languettes.

Il a fait du mauvais travail, ai-je ajouté.
La petite aide hochait sa tête besogneuse.
Son excuse de feu gesticulait jaunâtre.

Je vais tout faire pour améliorer ça.
J'ai rasé mieux autour de la béance, toi tu ronflais un peu,
bruit de bourdon,
je t'ai remplie d'alcool comme on noie un chaton,
et dans cette vapeur j'ai sorti mes aiguilles, mon fil,

et mes ciseaux,

réuni bien serrées les lèvres de la plaie.

Ta moue était boudeuse entre tes *fortes tresses* ;

et la console ayant tracé un trait bien droit,

j'ai pu recoudre net, en quelques petits points,

une dizaine,

par le moyen du fil le plus fluet.

Comment est-elle donc tombée ? ai-je chuchoté à la jeune fille.

Je ne sais pas, madame. Elle aura trébuché, peut-être.

Elle avait le nez presque dans les braises. J'ai plaisanté :

Cette manie qu'ont les consoles de se jeter à nos visages.

Et quand j'ai eu fini d'éponger la zébrure,

où s'alignaient mes petits points comme des enfants sages,

j'ai regardé, Jeanne, tes yeux clos,

globes gros, sous les paupières veinées. De vrais raisins.

Je me doutais qu'ils étaient noirs, car ton corps était sombre,

si sombre, dans cette bouillie de draps ;

couleur de bois des navires coulés.

C'est fait, ai-je annoncé, et la jeune servante m'a glissé des sous,

j'ai rangé mes outils dans leur boîtier parfait,

j'ai refermé la porte, descendu l'escalier.

Dehors Paris mangeait le sommeil des noceurs ;

au restaurant voisin on servait d'énormes truites,

des chants paillards faisaient sonner les vitres.

Je suis rentrée par les rues avinées, sous les étoiles qui étaient,
je me rappelle, d'une brillance vive, précise, verte,
presque aussi réussies que mes tout petits points.

Je ne pensais pas te revoir,
j'avais tout oublié, ou quasiment, de ce soir-là,
c'était une opération comme tant d'autres.
Mais alors qu'en fragments je m'accroche à ta peau,
ce beau matin d'été si doux,
au détour d'un sentier,
je me rappelle tout,
je me demande à quoi ressemblent, aujourd'hui,
sous ton chapeau coquet, dessous ta chevelure
(que tu remplumes, sans doute, par un postiche,
car elle a tant perdu de sa bleuté, de sa beauté),
je me demande à quoi ressemblent mes sutures,
fourmis noires ravalées par la peau de ton crâne,
entre les cheveux repoussés.
Ton amant les a-t-il jamais embrassées ?

IX. COUR OÙ DES ENFANTS JOUENT AUX OSSELETS, 1843

Ton amant…

Moi-même, j'ai connu l'amour, vraiment;
je veux te raconter…
Mais voilà que dure mon agonie,
et comme je m'émiette, mes souvenirs aussi
se disloquent; je parle de plus en plus mal,
elle est partie, ma langue pourpre,
dans le ventre d'un corbeau violet;
des asticots méticuleux s'occupent de ma cervelle.
Le soleil de treize heures rissole mes entrailles;
bientôt je serai comme une grande semelle.
Mes ongles tombent et mes dents tombent, descellées,
osselets. Osselets… ça me rappelle…
ça me rappelle…
Je rassemble mes forces, pour toi, Jeanne,
et pour les petites sœurs,
et pour les amies qui étaient comme des sœurs,

car je n'ai pas terminé mon histoire.
L'après-midi commence. Au creux du soir, j'espère
être suffisamment déglutie par la terre
pour disparaître tout à fait.
Et mes histoires en même temps…

Alors donc cet amant ?

J'en ai eu des amants ! Ils payaient !

Mais celui qui ne paya pas ?
Souviens-toi…

Je tente de me souvenir.

Alors donc ?

Tout se confond.

Commençons par les osselets.
Les enfants jouent avec des osselets.
Dans une cour. Près d'eux,
une femme rapide tord des linges lavés.
Je suis là pour recoudre…
que suis-je là pour recoudre ?
est-ce le jour ? recoudre les tissus ?
est-ce la nuit ?
recoudre les filles trébuchées contre les meubles ?

Non, c'est le jour.
C'est forcément le jour, ou les enfants seraient couchés.

Ils jouent aux osselets dans cette cour. Oui, c'est le jour.
Paris est tout bleu de soleil, de chants d'oiseaux.
Moi je me trouve là pour le travail. Les osselets en pluie
accrochent le soleil.
Près des enfants qui jouent, près de la femme qui tord,
des pissenlits poussent en friche,
poilus comme des abeilles.
La pierre de la façade répand cette farine
qui me rappelle, vision brusque, le moulin de mes montagnes.
L'odeur aussi est fraîche. C'est celle de mes montagnes.
Et soudain tout résonne :
dans cette cour, cloche d'or, je suis heureuse.
Ce qui est rare.
Je sens ma vie gentiment tiraillée :
quand j'étais très petite, aussi,
les chiots me mordillaient la manche,
voulant dire : viens voir de ce côté.
Ici aussi, impression que la vie mordille.
Grâce, appelle la femme,
et fugacement je crois qu'elle parle de cet instant.
Qu'elle dit que nous vivons
un tout petit moment de grâce…
mais non,

c'est tout simplement mon prénom. Je réponds : *Je suis là.*
Elle a un ballot blanc à me confier,
je devrai apposer des boutonnières.
Je le prends comme un nouveau-né,
en ayant soin de soutenir la tête.
Les osselets ruissellent sur le pavé.
Le gargouillis joyeux d'une petite fille qui gagne.
Grâce cette lumière fragile des sourires,
Grâce ces rires qui picorent les murs,
Grâce ce mouillé éclatant des bottines de la femme,
Grâce l'odeur d'eau et de cendres du linge blanc,
Grâce cet instant dans la cour.
Grâce.
À ce moment-là je pense : *qui m'a tuée ?*
Car j'ai une impression de paradis dans tout mon être.
Il me semble que je suis complète comme rarement,
juste quelques fois auparavant :
émergeant dans une clairière remplie de biches,
ou sur la langue un fromage très acide,
ou quand les petites sœurs jouaient à leurs poupées
de bâtonnets et de chiffons, les yeux si clairs.
Qui m'a tuée ?
Je sais que je suis appelée. Je crois que c'est par la mort,

mais ce sera l'amour ; qui sonne pareil, ou presque.
La femme s'escamote. Derrière elle alors s'esquisse
une silhouette d'arbrisseau, qui est celle d'un homme,
vert clair, à peine moussu de barbe.
J'ai une vie de plus que lui, au moins.
Il traverse la cour le nez dans un grand livre bleu,
titube entre les osselets,
tombe comme un osselet,
même bruit : petits pois qu'on écosse.
Les enfants oisillons remuent leurs mains roses, minuscules,
rient doucement.
L'homme se redresse, rouge, je lui époussette la jaquette,
il met sur moi le flou de son regard.
Il faut faire attention où vous mettez les pieds,
dis-je comme une mère.
Je vois que dans son livre il y a des dessins de corps écorchés,
d'os, de muscles et de nerfs
qu'il a annotés à la mine grise.
Ces osselets auront raison de moi. Il dit cela mais il sourit.
Les enfants amusés ont dans les yeux
le souvenir de bien d'autres chutes pareilles,
leur affection pour un voisin distrait.
Il s'apprête à virer vers une porte noire

qui monte vers les chambres que ne sépare du ciel
qu'une ardoise fine, où l'engelure menace,
où vivent les désargentés. J'en ai vu des dizaines,
vécu leurs draps rigides et leur marteau de froid.
Avant qu'il ne parte je lui crie :
Je vois que vous vous intéressez à l'anatomie.
Oui, répond-il, *je suis docteur.*
Je suis du moins en train de devenir docteur,
je me forme à l'appellation exacte
de chaque petit os du corps humain ;
chaque os, même le plus petit, porte un nom.
Quel est le vôtre ? je demande.
Il me regarde comme s'il avait oublié.
Puis me le dit : *Camille.*
Et vous ?
Grâce.
Il considère ce prénom, l'épingle au très long manteau noir
qui me caparaçonne en toute saison.
Lui disant mon prénom il me semble encore
que ce n'est pas mon prénom que je dis, mais une
imploration,
que je l'implore :
Grâce. Tu dois devenir mon amant,

mais de grâce, ne me nuis pas.

Il sourit de cette déclaration, et de cette demande muette,

qu'il comprend,

je crois.

Il dit :

Je m'en souviendrai mieux que du nom de tous les os.

Faut-il vraiment les apprendre par cœur ? dis-je.

Oui, car c'est ainsi qu'on devient médecin.

J'affirme : *Mais moi, je fais de la médecine sans rien savoir.*

Tiens donc ! Cela l'amuse.

J'ai fermé des corps ouverts et ouvert des corps fermés

sans rien savoir.

Cela semble dangereux, dit-il.

Les enfants nous poussent car nous dérangeons.

Ils font les marcassins, ronchonnent.

Je me fie à ce que je vois, lui dis-je, *et à l'odeur et aux textures.*

C'est donc un savoir de sorcière, conclut Camille.

Ensuite il dit : *Expliquez-moi.*

Montrez-moi.

✻

Jamais un homme ne m'a dit : *Expliquez-moi.*

Montrez-moi.

*

Je reste là toute décontenancée,
les enfants-marcassins protestent :
c'est notre cour, c'est notre morceau de pavé,
allez parler ailleurs, ici on joue.
Montez donc m'expliquer, dit l'homme simplement.
Alors je pense que je vais mourir.
Je pense : c'est donc ainsi que cela se termine,
Qui va me tuer ? C'est donc lui.
Après toutes ces fois où j'ai manqué mourir
des mains rocheuses de marins ou de tenanciers de taverne,
c'est donc lui, ce roseau d'homme, qui me tuera.
Venez, dit-il de sa voix claire, *venez donc,*
Grâce.
Alors je viens.

X. DÉTOUR D'UN SENTIER, 1855

JEANNE	je me demande bien qui l'a tuée.
CHARLES	quoi donc ?
JEANNE	mais la charogne.
CHARLES	qui vous dit que sa mort n'a rien de naturel ?
JEANNE	on ne meurt pas ainsi au détour d'un sentier.
CHARLES	sans doute était-ce une prostituée, morte de quelque maladie.
JEANNE	pourquoi une prostituée ?
CHARLES	mourir ainsi, les jambes en l'air, comme une femme lubrique. remettez donc votre bras, pourquoi vous dégagez-vous, Jeanne, de mon étreinte ?
JEANNE	pourquoi dire de cette morte qu'elle était –
CHARLES	allons nous ne savons même pas si c'est un humain, ou juste une bête. pourquoi nous disputer ?

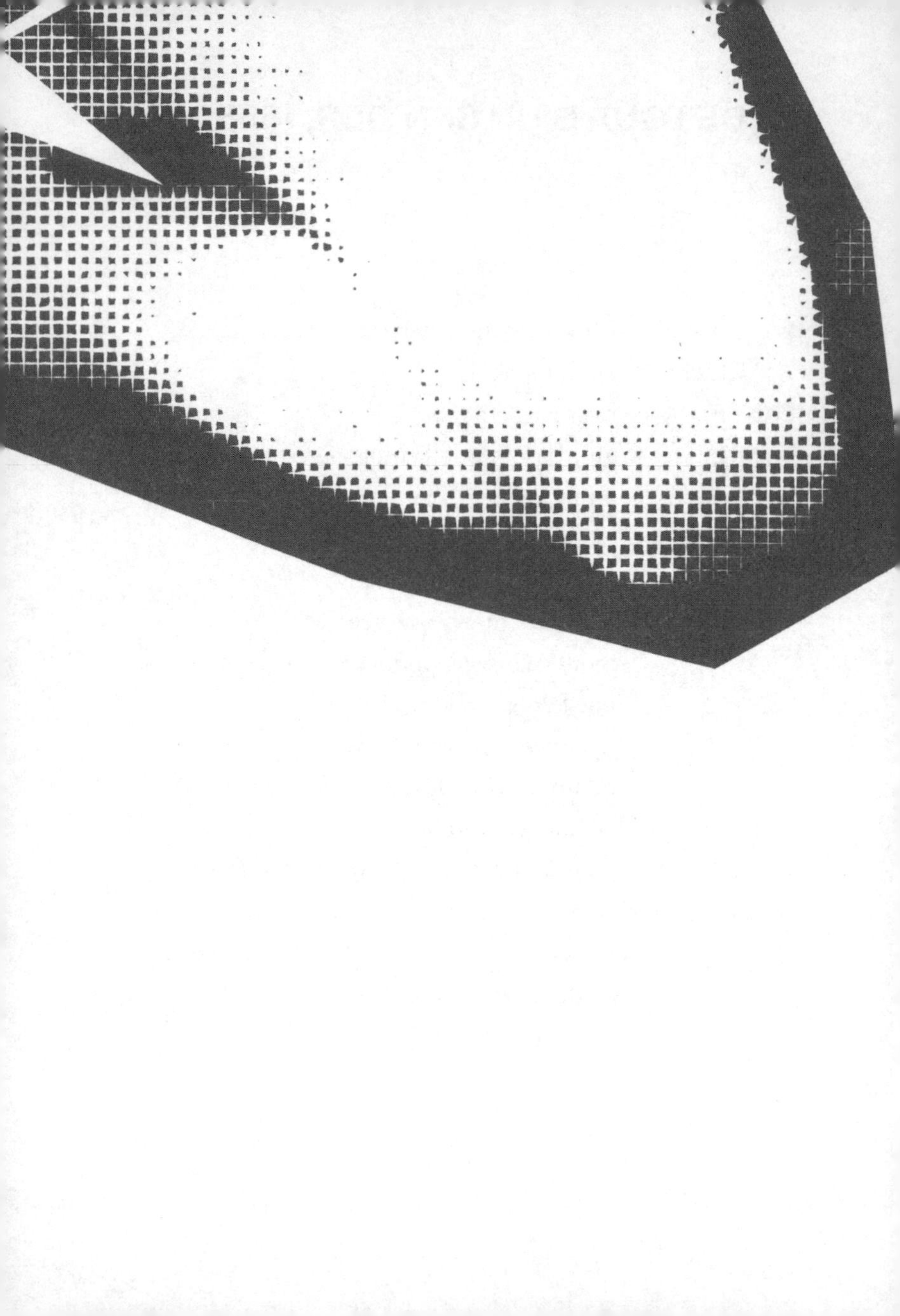

JEANNE	je me demande bien qui l'a tuée.
CHARLES	les gens ne meurent pas tous parce qu'on les a tués.
JEANNE	mais je crois, moi, qu'on l'a tuée.
CHARLES	redonnez-moi la main, ma bonne amie. pourquoi nous disputer ? un beau matin d'été si doux. c'est criminel. ne vous cachez donc pas ainsi derrière votre ombrelle.
JEANNE	mais je sais, moi, qu'on l'a tuée !
CHARLES	si vous voulez. imaginez-vous donc la scène. imaginez l'ogre des bois et l'étourdie gracile qui tomba dans son antre…

*

Oh, Jeanne, tu le sais dans ton ventre, que j'ai été tuée.
Tu le sais comme le savent les femmes
qui regardent d'autres femmes
et savent. Comme je savais devant la petite domestique
que ta console n'était pas un accident.

Qui m'a tuée ?   J'ai eu un moment la réponse,
mais elle m'échappe, je la tiens trop légèrement,
le soleil tape fort, plus de matin d'été si doux,
c'est un après-midi de four à pain.
Je gonfle lentement, dans une odeur de bière.
Qui donc m'a laissée là au-dessus de la terre ?
Voilà qu'un
vautour – je ne savais pas qu'il y avait des vautours
si près de Paris, la mort m'apporte ce savoir –
vautour râblé s'approche,
accroche, au plus jaune de son bec, une poche
crémeuse, aux relents de poisson,
quelque part dans la mer que je suis devenue.
Qui m'a fait devenir cette mer ?

*

JEANNE   l'air est chargé de cette carcasse
et moi aussi
je suis comme chargée de cette carcasse
CHARLES,   *(plein d'espoir)*   vous croyez vous évanouir ?
JEANNE   non   mais
il me vient l'idée curieuse
qu'elle cherche à entrer en moi, par petites poussées

CHARLES il faut dire que la puanteur était si forte que…

JEANNE je crois qu'elle m'a connue
je crois que nous sommes semblables

CHARLES oui, telle vous serez…

JEANNE je crois que nous nous sommes déjà croisées
que nous sommes appelées à nous croiser encore

CHARLES quand vous irez sous l'herbe…

JEANNE je crois qu'elle m'a déjà par le passé
enveloppée
de ses délicatesses.
Il me semble qu'un jour,
elle m'a apporté une consolation.
Mais quand?

CHARLES … moisir parmi les ossements.

JEANNE qui a tué cette femme qui me voulait du bien?
cette femme qui m'a consolée?

CHARLES alors, ô ma beauté…

*

Jeanne, tu te demandes si j'ai été tuée par mon amant:
mais non.
Chaque parcelle de mon corps se rappelle combien il était bon,
son exquise douceur.

C'est l'homme qui n'a pas été comme les hommes
que j'ai connus avant, que les petites sœurs
ont connus, que les amies qui étaient comme des sœurs
ont connus.

C'est l'homme qui a été différent.

Mon amour avec lui c'était de ces amours d'enfance
fouineurs d'espaces ombragés,
de fontaines discrètes, des baldaquins des saules,
des greniers froids, fragrants, au milieu de l'été,
d'où l'on entend par les lucarnes
les voix adultes,
étouffées de soleil et d'affairement ;
vite ! on a quelques minutes,
soi et l'autre que soi, garçon ou fille,
quelques minutes et les chocs malhabiles
qu'on s'apprend l'un à l'autre et à soi-même,
entre corps et vêtements et sol de bois,
confus, et qui allument nouvellement
tel pignon de nos peaux, telles chairs vibratiles.

Jeanne des îles, les enfants des îles ont-ils aussi
ces minutes nerveuses certains après-midi ?

*

JEANNE — je crois que c'est quelqu'un
qui a beaucoup aimé
et a été aimé, et que c'est pour cela
qu'elle a autant de mal à sortir de ce monde
pourtant elle le méprise ce monde pourtant
elle a appris à ne plus lui faire confiance

CHARLES — toi aussi on t'aime :
écoute, Jeanne :
écoute comme je t'appelle :
ô la reine des grâces
ô ma beauté
vous mon ange et ma passion

JEANNE — oui, moi aussi on m'a aimée
oui certes
on m'aime

CHARLES — *étoile de mes yeux, soleil de ma nature*

JEANNE — du moins
on me dédie bien des poèmes

XI. CHAMBRES, ANNÉES 1840

Dans la petite chambre de Camille,
sous le toit saupoudré de pigeons : voilà !
Voilà notre amour souriant et fébrile.
Mon amant connaissait le nom des os,
mais pas ceux des membranes,
des muqueuses grasses qui se rétractent,
qui jouent, qui se retroussent.
Et moi, qui connaissais leur jeu, j'étais nouvelle
dans cet art d'être doux et d'être douce
qu'il m'imposait. Car tout en lui était tendresse,
tendresse du hoquet de ses longs doigts,
tendresse de sa barbe aux boucles vert et noir,
tendresse de ses yeux confiants,
de sa main pétrissant
pas plus qu'un chaton de gouttière
mon ventre blanc.
Ensuite nous parlions de médecine. J'explique :
La nuit je m'occupe de femmes qui ont été mal recousues.

Il insiste pour que je l'emmène dans mes voyages nocturnes ;
bientôt nous arpentons la ville sous la lune,
à la recherche des adresses
où l'on murmure mon prénom.
Il me regarde ouvrir ma mallette parfaite,
m'approcher des patientes,
respirer les souffles âcres, tâter les plaies framboise.
Je lui montre. J'explique.
Écoute comme ça siffle,
plonge ton doigt dans la blessure,
sens son haleine sure,
regarde en grappes goutter le sang dur :
laisse ce savoir-là guider ciseaux, rasoirs, aiguilles.
Nul besoin de nommer cet organe qui crie.
L'aiguille saura, comme savent
ses cousines dans les boussoles,
vers où se diriger.
Les filles guérissent, sous mes mains, ensuite sous les siennes.
Bien vite lui aussi comprend ces signes. Il s'émerveille :
C'est de la médecine, mais c'est aussi –
il ne trouve pas les mots. Je propose : *de l'amour*
il trouve cela excessif. Je propose : *de la compassion*
il trouve cela maigrelet. Je propose : *de l'intelligence*

mais il veut autre chose : *non, de la grâce*
De la grâce ce sera alors.

À cette époque,

souviens-toi, Jeanne, tu l'as vue, je crois,
une femme sur la scène de l'opéra semblait tour à tour

aigrette et colombe,

tout le monde en parlait :

avez-vous vu cette danse nouvelle
avez-vous vu ces pieds en pointe
ces jambes comme deux crayons
sous la corolle liseron ?

Elle inventait un moyen de voler, en musique,
et c'est ainsi que mon aiguille danse aussi : technique,

mais aérienne.

Grâce.

Apprends-moi ce ballet de fil et de métal,
me demande Camille.

Alors le jour il fait sur des corps gris des sutures noires,
entre les autres étudiants, habillés comme des corneilles,

et rien de ces dissections ne réveille
ces corps gris ;

mais la nuit avec moi il danse de l'aiguille,
dans d'autres corps, qui ont la vie encore en eux, soucieuse,

nichée dans une rainure,
et notre danse ranime
cette vie ; elle n'a plus peur,
elle ressort son museau, elle est comme neuve.
Quand nous rentrons dans notre chambre,
aux murs velus de moisissures,
cinq heures du matin cognent vert-jaune à la fenêtre.
Nous nous débarrassons de nos mallettes,   de nos manteaux,
de tout ce qui encombre. Les ombres
de nos corps sur la porte déjà se rencontrent,
avant nous ; bientôt on s'enchevêtre
dans le lit beige, qui gratte. L'aube nous coud ensemble,
de ses petits points bien serrés.
C'est de l'amour, et de la compassion, et de l'intelligence,
et de la grâce.
Nous nous aimons dans tous les interstices de la fatigue.
Huit heures claironnent. On se dénoue, mais on préserve
dans les plis de nos corps la mémoire exacte des étreintes.

*

Oh !
Jeanne !
Camille !

cette mémoire est encore là,
alors même que mon corps n’est presque plus que marée,
moussant d’écume aux lèvres des petits champignons roses,
reste d’embruns sur le pourtour
du bec du vautour, de la gueule de la chienne, je ne suis
qu’algues molles, vert sombre, charriées par les insectes.
Oh, mais pourtant je me souviens encore
de tous ces entrelacs que faisaient nos deux corps
dans la chambre bleue de froid
sous les draps qui piquaient,
et voilà que
j’embrasse l’herbe de la même manière,
les arbres pareil, les animaux pareil,
je leur donne les étreintes
exactes
que je t’ai données…
des baisers
identiques
à ceux que je te confiais…
Je pourrais difficilement mieux l’aimer,
ma tombe sous le ciel,
cette dernière amante,
si c’est de notre amour à nous que je la hante…

Oh, Camille, qui m'a tuée ?

    qui m'a tuée pour que je fasse aux cailloux nos étreintes

        qui m'a tuée pour que notre mémoire dure

            dans la poix noire que je suinte

                dans les oiseaux de proie

                    dans les petits gosiers des boutons-d'or

    qui m'a tuée pour que nous soyons là

            partout nous deux

            un peu

            encore ?

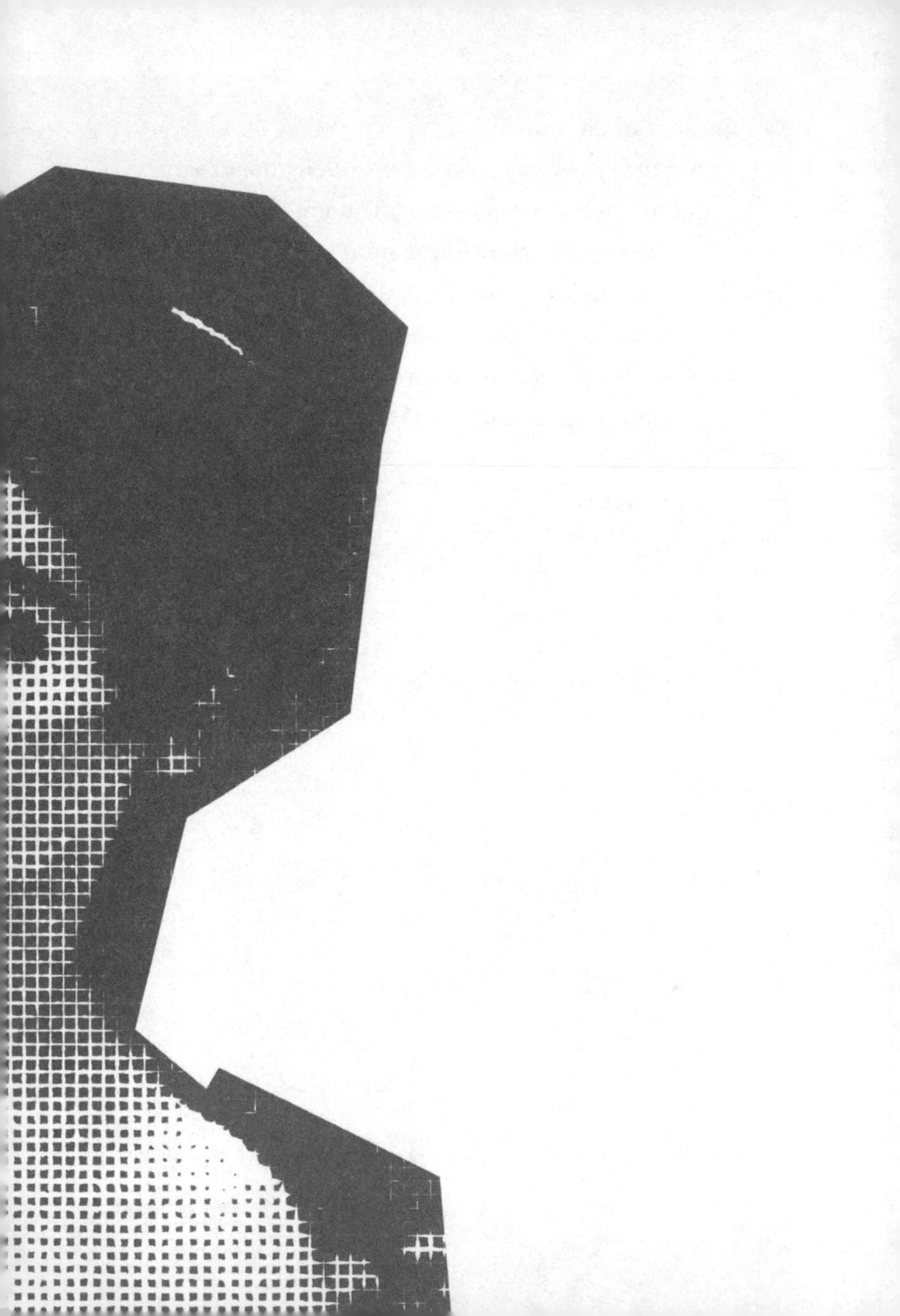

XII. AUTRES CHAMBRES, ANNÉES 1840

Mais il y eut d'autres chambres bientôt.

Cela commence par la visite   d'une des petites sœurs.

Petits chocs à la porte   de phalange de petite sœur.

Grâce, cela fait si longtemps !

Elle est rousse, d'un roux qui glapit.

Les oreilles lourdes d'argent.

Les seins, des baluchons pour partir en pique-nique,

hoquètent, par-dessus le corset zinzolin.

Ma petite sœur ! je me rappelle ma petite sœur des montagnes : chevrette.

Elle n'a plus rien de cela. Je comprends :

Tu portes un enfant dont tu ne veux pas.

La petite sœur dit   *Il faut que,*

elle dit   *tu comprends*

elle dit   *pas d'argent*   *pas de situation*

et surtout   *pas de mariage*

elle dit   *je ne sais pas,*

probablement

l'un des messieurs

qui viennent le vendredi

elle dit *jusque-là j'ai eu de la chance*

Je l'allonge sur le lit. Camille est à ses études.

Je ne sais pas quoi faire. Mais je sais

que l'aiguille boussole saura,

comme elle sait toujours, où poser ses pointes.

C'est la première fois. L'aiguille sera hésitante et délicate,

s'en ira intimer à l'être infime : *petit souffle,*

tu n'es pas le bienvenu.

Retourne-t'en

là d'où tu es venu.

J'ai pris la plus longue de mes aiguilles,

et par instinct je l'ai recourbée tout au bout,

l'aplatissant du dur de ma chaussure.

Cela devient un tout nouvel objet.

Et au fil des années j'en ferai d'autres,

selon les coupes tièdes qu'on me présentera.

J'ajusterai chaque objet à chaque patiente.

J'apprendrai les mille profils du plus secret des femmes.

Car toutes nous sommes faites en des moules divers,

d'aucuns au feuilletage compliqué,

d'autres ridés comme un sourire ancien,

d'aucuns longs alambics,

d'autres courts tuyaux durs ;
certains dodus, vermeil luisant,
certains nerveux, rose glacé,
certains d'une verdeur de plume de canard,
sur quoi l'eau dégringole en petites billes.
À formes différentes, aiguilles non pareilles.
Il faut divers objets pour ces divers visages.
J'apprendrais bientôt à tous les forger.
Ne fais pas mal, implore la petite sœur. Sur ses lèvres
je dépose un baiser de l'alcool qui apaise,
grâce à qui rien ne nuit ;
puis, tandis qu'elle mâche la viande en sauce qu'est sa langue,
je pointe mon objet en écoutant, en sentant, en goûtant,
les reliefs de son corps, pour m'orienter
tout au fond de ses fendillements.
Je glisse mon objet dans celui-là. L'objet sait où. Je tire ;
l'être petit et flasque, rouge-blanc,
vient presque immédiatement, méconnaissable :
je sais que c'est lui, sans savoir comment ;
c'est lui, petit et flasque et rouge-blanc.
Il a la taille d'un noyau de prune.
Et après lui ça pleure comme chaque mois les femmes.
La petite sœur dort jusqu'à ce que le soleil

rature de blanc ses joues blanches.
Ses cheveux roux se réveillent avant elle,
s'étirent et bâillent et couinent mignonnement.
Enfin elle s'éveille aussi. Je lui apprends
que l'enfant est parti, qu'il était
pareil à un noyau de prune.

Elle dit :
ça m'apprendra à ne pas faire attention quand je mange des prunes.
Elle est guillerette maintenant, pommettes comme des griottes,
affairée, le noir des yeux tout pétillant.

Il faudrait que tu reviennes rue de la Femme-sans-Tête, dit-elle,
de temps en temps ; car on en perd souvent comme ça,
des amies qui n'ont pas la chance de t'avoir pour sœur.
Par exemple Madeleine (on ne l'arrête plus)
(elle papote en mangeant
des bonbons à la violette)

elle a été grosse,
par un gros monsieur qui depuis des semaines l'entreprenait,
et donc Madeleine y est passée, tellement de sang perdu, elle s'est desséchée
comme ce petit lézard qu'on avait capturé une fois,
te rappelles-tu, Grâce, ce tout petit lézard ? qu'on avait mis dans une coupe en terre,

qui était mort de soif, tout sec, (le sac en papier crisse)
Madeleine donc, exactement pareil, *tu en veux des bonbons ?*
non ?
on a quémandé au bourgeois à peine quelques sous
pour couvrir les frais d'enterrement,
tu comprends c'était elle qui tenait les lieux, *elle méritait,*
mais non, il est rentré chez lui reboutonné,
tout boutonné, *œil boutonné,*
bouche boutonnée, *Madeleine a fini*
Dieu (elle mastique)
sait (le sucre casse)
où, (sous ses dents)
parmi les ossements
d'autres gens qui, d'autres femmes qui, *enfin*
tu comprends
personne n'avait l'argent.
Et Blondine, tu te souviens, Blondine ? *Grosse aussi,*
elle, on l'a retrouvée (chiffonne le sac)
noyée dans la Seine, on ne sait pas si (le jette par la fenêtre)
c'était elle, ou le monsieur qui a agi :
oh, si tu revenais de temps à autre, Grâce,
si tu faisais danser ton aiguille un peu
chez les petites amies.

Ça serait gentil, tu sais, ça ferait
de la place en plus dans la fosse
pour les cadavres pas de chez nous.

Après la petite sœur disparaît vivement
à la manière d'une coccinelle.

*

Moi je pense à mes sœurs. Non pas tellement à elle,
petite sœur rousse,
dégringolée de la montagne.

Mais à mes amies qui étaient comme des sœurs,
Madeleine, qui m'avait appris tant de choses,
entre les bouquets d'œillets roses,
dans le salon des demoiselles,
je pense à elle saignée jusqu'à être toute blanche. Je pense
à Blondine, qui riait fort,
chez qui tout était brioche,
qui avait un chaton dans chaque poche.
Je pense à elle ballotée par la Seine laide.
Alors je pleure.

*

Je pleure en pensant que dans ma montagne

j'étais le mur des petites sœurs
et qu'à Paris j'ai recousu
des femmes qui étaient comme des sœurs
quand elles avaient rencontré des consoles
et maintenant ces amies qui étaient comme des sœurs
meurent, sans aucune consolation, dans le fleuve froid,
dans des salons, saignées,
parce qu'elles n'ont pas eu de protection, jamais,
parce que nous ne sommes pas protégées.

*

Je pleure aussi cet enfant de ma petite sœur,
rouge-blanc et flasque,
qui a quitté son corps si légèrement.
Je pleure les enfants
de mes amies qui étaient comme des sœurs,
êtres gelés dans leurs corps gelés.
Je pleure qu'ils aient dû sortir,
et je pleure qu'ils n'aient pas pu sortir,
qu'elles se soient endormies en même temps.
Alors, je veux me faire à nouveau mur.
À nouveau brique et pierre,
et protéger les autres amies,

avec l'objet qui guide exactement,
qui sait comment entrer et par où sortir,
pour qu'elles n'aient plus jamais besoin
de mourir.

*

Camille revient. Il a appris aujourd'hui
les noms de remèdes compliqués.
Je lui raconte ce qui s'est passé.
Et après que nous avons fait l'amour, il me dit :
tu devrais faire ce que te demande
ta petite sœur,
car ces amies-là
sont comme des sœurs.
Et voilà, Jeanne, comment j'ai connu d'autres chambres,
voilà comment je suis devenue
au bout de mes objets courbés
une sourcière,   allant chercher les eaux
de vie,   pour en soulager
mes amies, qui étaient comme des sœurs.
Jeanne, as-tu déjà eu ce malheur,
et cette chance,
de recevoir par l'aiguille de tels sourciers
ta délivrance ?

XIII. DÉTOUR D'UN SENTIER, 1855

Le jour décline.
Dans mes craquelures se coulent
les insectes secs de dix-sept heures :
casques noirs des scarabées,
cosses grises des cloportes.
La brise râpeuse du soir,
la lumière diagonale
finissent de me débarrasser de mes mollesses.
J'ai délaissé ma houppelande de moisissures,
je ne suis presque plus que squelette rêche.
Ce soir ou cette nuit,   je ne serai plus rien,
un spectre,
mais en attendant…
quelques histoires encore à raconter,
quelques liens à nouer   avec les vivants,
du moins, avec une vivante…
Jeanne, tes pas se sont depuis longtemps évanouis,
et ceux de Charles avec. Mais je te hante,
et j'entends résonner ce que tu lui as dit :
tu t'es *chargée* de moi,

de ma carcasse aromatique ;
j'existe encore, où que tu sois. Je me presse
dans quelque secrète alvéole de ta poitrine.
Tu me pressens.
Alors j'ai ce loisir : explorer de ton corps chaque recoin,
faire parler la muse de l'intérieur.
Ainsi une accordéoniste tire de la peau froncée une musique.
Ainsi tous tes bonheurs et toutes tes inquiétudes
chantent-ils, dans cette outre aux mille plis.
Je vois que trois fois dans ton corps s'est éveillée la vie.

*

Une première fois
il y a bien longtemps, trace ancienne,
dans les îles, Jeanne des îles, lorsque tu connaissais à peine
nos sangs d'une semaine qui disent le temps qui passe.
Cette petit être-là a peu battu,
il s'est endormi tout naturellement.
Peut-être ne voulait-il pas d'une mère
qui soit encore une enfant.
Cette vie a laissé juste un poinçon blanc,
discrète politesse de départ.

*

Une deuxième fois
la vie est apparue. Celle-là opiniâtre.
C'était tes années de théâtre, je vois que tu te penches,
pour remercier, sous les applaudissements,
et la nausée ouateuse dans la gorge,
tu te redresses. C'est l'enfant d'un autre illustre,
qui le premier t'a repérée en plein cœur de Paris ;
dont tu décores le lit. Avant Charles.
Et pour te défricher de cette vie, tu as pris un remède,
mélange médiéval, un brouet de sorcière,
sœur croisée sous un pont, qui décoctait des herbes.
Le goût de fiel fadasse. Dès la déglutition,
tout ton bassin s'est fait tête de taureau,
tempétueuse, encornant tes jupons,
et mugissant, ruant, on entend encore son écho
en toi, jusqu'à la mise à mort.
La tête est retombée, les cornes
sont redevenues os,
la langue dévidée a bavé
le rien ou presque, avant le sang.
Cette vie-là luit jaune de colère.
Elle avait déjà le soleil sous son pelage.
J'en ai vu ô combien des anges de cette nature,

infimes lutteurs,
aux intentions nettes,
aux poings durs.

*

Une troisième fois,
enfin,
un mince enfant de Charles.
Sa tache en toi est verte, car il n'était ni attendu,
ni redouté,
juste une possibilité
à laquelle tu étais ouverte ;
ainsi il a pris la couleur d'une fenêtre
donnant sur un jardin.
Son humeur était douce.
Il aurait embaumé les fruits sucrés,
car il était sans méchanceté,
modeste comme une noisette,
la mine
d'une gravité enfantine.
Il a été conçu dans les délices d'un doux matin d'été,
bien avant que Charles ne te dise :
et pourtant vous serez semblable à cette ordure

bien avant qu'il n'interpose
entre toi et le monde   une console.
C'était l'enfant de la passion au moment où elle danse,
        encore pleine d'entrain,
        dans une musique joyeuse.
    As-tu même connu son existence ?
    Il s'est enfui timide dans une rigole.
Verte, fragile, sa vie vient étoiler le plus rose de toi.
    Elle est la mémoire de ce qui aurait pu être.

*

Si je peux décrypter ces vestiges intérieurs,
si je sais si bien lire leurs runes,
c'est d'avoir côtoyé tant de présences miniatures,
c'est d'avoir tant accompagné leurs ruptures,
c'est de m'être tant baignée à leurs rivières.
C'est d'avoir tant chanté leur première berceuse,
                                        et leur dernière.

XIV. BERCEUSE DES PETITS ENDORMISSEMENTS

Dors, petit, dors, dans ton berceau posé,
Dors, petit, dors, dans ton grand petit monde,
Dehors tout est danger, dehors tout gronde,
Dedans tout est doux et tout est doré.

Je change la berceuse selon les situations,
le refrain est le même, les couplets non.
J'explique, le plus précisément possible,
à celui qu'on endort, pourquoi.

Dors, petit, dors, dans ton lit déchiré,
Bien trop gracile pour que tu grandisses
Dors, petit fruit de violence,
Petit écho de bruit de chair cognée
Dors, petit, dors, au creux du corps d'enfant
Livrée par le malheur à la rue blême
Dors, petit, dors, il y a bien des lèvres
Déjà auprès des tétons de ta mère

Mille versions de ces berceuses,
mille chansons pour escorter les anges,
mille raisons à la même fin malheureuse.
Et toujours une absence : moi, je suis là,
et mon amie est là,
et le petit qui s'endort au creux
de nos deux corps
est là.
Mais où sont-ils, les faiseurs de ces anges ?
Ceux par qui
les petits endormis sont arrivés ?
Où sont-ils donc, tous ceux qui vous ont engendrés ?

XV. RUE DE LA FEMME-SANS-TÊTE, 1845

Un jour on me convoque rue de la Femme-sans-Tête,
et voilà l'autre petite sœur que je trouve juchée
sur un coussin. Elle n'est pas rousse, comme l'autre,
elle n'a plus de cheveux.
Elle est une plume dans l'édredon de plumes.
Elle a la peau bleue et elle a les lèvres bleues.
Et autour d'elle les amies s'affairent pour la réchauffer,
mais tout est bleu chez elle,
ainsi que l'hiver l'intérieur de la glace
qui cambre les gouttières.
Il faut faire sortir l'enfant, dit l'autre petite sœur,
c'est lui qui la tue. C'est faux.
Elle a la mort au corps
depuis bien plus longtemps : la mort qui crache du sang,
ordinaire comme le pain, superbe et tragique pourtant,
givre piquant les jeunes poumons,
la mort qui se niche rouge dans les petits mouchoirs.

Fais sortir l'enfant! implore la petite sœur rousse.
Mais la petite sœur bleue ne veut pas ;
elle insiste,
d'une voix pas plus forte qu'un trait de craie,
qu'elle veut simplement être guérie ;
que l'homme qu'elle aime a l'argent pour la sauver,
il faudrait simplement le retrouver,
il l'aime. Il a placé là cet enfant qu'elle veut,
qu'il veut aussi. *Courez les rues, ma sœur,*
voici là son adresse,
retrouvez-le, il a l'argent.
Je note l'adresse, je me prépare à y aller.
Ce que je ne remarque pas : autour de moi,
le paravent gêné
des regards des amies.
Clôture de bois sombre.
Je me rends à l'adresse. Elle est dans les quartiers
de chocolat et de diamant. Là où je ne vais jamais,
où les femmes n'ont pas besoin d'être recousues,
les petits endormis d'être bercés, ou alors
peut-être que si, ici aussi ; mais on ne le sait pas.
Mes bottes sont grises de salissure.
Pourtant je les presse contre le marbre,

pour trouver l'homme que ma petite sœur aime, et qui l'aime,
et qui va la sauver.   La porte s'ouvre,   sans grincer,
sur un homme vêtu de crème.
Il avise tout ce qui en moi est gris de salissure.
Il dit, *Madame?*   comme il dirait, *Monstresse?*
Je lui confie mon prénom :   *Grâce*
Je lui confie le prénom de ma petite sœur,
il fourre les deux dans sa poche,
les ayant soigneusement pliés,
s'en va chercher son maître.
Il revient. *Monsieur n'est pas en mesure de vous recevoir.*
Je lui explique :
La petite sœur a besoin de *Monsieur,* dit-il, *n'est pas en mesure*
Mais la petite sœur *Veuillez partir,* dit-il, et il fait signe à la porte
de se refermer

sur moi.

Mais pas assez rapidement.
Je me coule, lézarde, entre lui et le marbre.
Couloir, couloir,   tentures vert et or, couloir,
escalier brun et bleu,   couloir,
l'homme à l'habit de crème tonne à ma suite,   *Monsieur n'est pas*
Je traque une odeur de fumée,   *en mesure de*
j'ouvre une porte.   *vous recevoir.*

Voilà un salon argenté, où le thé se boit
dans des tasses en porcelaine
  aussi fines qu'un ongle de demoiselle.
    Lové dans un fauteuil pareil à un bâillement,
    il y a un monsieur   soyeux,
      yeux bleus,
      barbe blonde bouclée et favoris touffus,
      un bélier d'homme, bien entretenu,   vigoureux,
      j'imagine bien ma chevrette de petite sœur
      à ses côtés.
Je répète mon prénom :   *Grâce*
Puis celui de la petite sœur. J'explique qu'elle se meurt,
  qu'elle a dans les poumons le sang,
  dans le ventre un enfant,   qu'elle sait que Monsieur l'aime,
                              qu'il a l'argent :
                              il doit venir
                              rue de la Femme-sans-Tête.
L'homme-bélier me contemple de ses yeux bleus, laiteux,
  ses doigts pincent la tasse petite,
  et dans les volutes d'une pipe
  écaille de tortue, il articule *Je ne sais pas*
                              de qui vous m'entretenez.
  Il ose dire   *Ce prénom ne me rappelle rien.*

Il ose dire *Je ne suis jamais allé,*
jamais,
rue de la Femme-sans-Tête.

Dans ce salon il n'y a que moi et lui,
lui et moi et nous deux dans les miroirs,
entre les dais moirés, gris cendre et rouge doré,
il ose dire *Je n'ai aucune idée*
aucune vous dis-je
de qui est la personne dont vous parlez.

Il faut que le domestique me charrie dehors.
Je lutte, saumon glissant dans les fleuves glacés,
je lui échappe,
remonte les escaliers, retrouve l'autre,
qui continue à siroter tranquillement son thé,
on m'attrape à nouveau. Bientôt la rue vociférante et froide.
Ne vous avisez plus d'importuner Monsieur.

Je rentre rue de la Femme-sans-Tête, et
la petite sœur est en train de mourir.
Il lui faut quelques jours, quelques nuits,
quelques soupirs de plus.
Puis elle disparaît dans les creux de son lit.

Au bon moment,
je chante la berceuse des petits endormissements

pour elle et pour l'enfant :
ils vont tous les deux s'assoupir.
Quand je retrouve Camille sous le toit d'ardoise,
je suis un oursin je suis
un hérisson je suis
une bogue de châtaigne
tout mon corps veut   que ça   tranche
que ça   blesse
que ça   saigne
tout veut vengeance   tout tremble de haine
mes yeux sont des dagues   ma langue danse flamme de l'enfer
mes mains mes aiguilles mes pieds   tarentelle des démons
et c'est alors que je prends ma nouvelle décision :
j'ai couché   avec eux
j'ai été couchée   par eux, sous eux,
j'ai recousu   ce qu'ils avaient cassé
j'ai endormi   leurs enfants perdus
et maintenant je vais
les tuer   les tuer,
les hommes,   les tuer dans leur sommeil
les tuer dans leurs calèches
les tuer dans leurs salons
les tuer dans leurs fauteuils

les tuer chez les femmes

où ils cherchent refuge,

les tuer jusqu'à ce qu'ils crient
jusqu'à ce qu'ils crient
jusqu'à ce qu'ils crient

Grâce
pardonnez-moi,
oui, j'ai menti,
oui, j'ai menti,
je connais cette femme,
ta petite sœur,
ton amie qui est comme une sœur,
je la connais, je te promets
que je l'aiderai je te promets
que je ne permettrai pas
qu'elle meure

XVI. DÉTOUR D'UN SENTIER, 1855

La nuit vient se coucher contre mes restes,
fraîche compresse.
C'est l'heure où les dîneurs
font des découpes noires aux carreaux jaunes,
où l'on entend tinter les couverts,
l'heure des taches de sauce et des verres remplis,
l'heure des disputes en famille
et des conversations entre amis.
Mes amis à moi, maintenant, ce sont les êtres de la nuit,
papillons gris, comme en papier, poudrés légèrement ;
renard râpé, aux dents ferreuses,
riches du sang d'autres charognes ;
et les acrobaties d'une souris
dans la cage de mes côtes,
guettée par la hulotte.
Loin, trois clochers chantonnent.
Jeanne, où es-tu passée ?
Je voudrais bien t'imaginer dans un lit propre, d'une profondeur
et d'une bleuté de lac,

ta peau brune, fumée, parcourue de baisers,
et de frissons,
fiévreuse et amoureuse, ayant tout oublié
de la charogne au détour d'un sentier.
Simplement tendresse entre les joues des oreillers.

Mais il me semble entendre encore ta voix
dans les infimes gouttes de moi, rosée de moi,
que j'ai laissée sur ton poignet fané,
dans les pétales de tes poumons las.
Je t'entends dire *Il y avait de la haine*
dans cette charogne. Je crois
que cette femme
a fait des choses terribles,
et belles, mais terribles,
et elle a trouvé la mort
sans que personne
ne la console.

*

CHARLES ciel ! quels romans vous vous inventez.

JEANNE Charles je le sais
aussi sûrement que je sais
par cœur le chemin entre chez moi

et chez toi,
par cœur le chemin entre ta bouche
et la mienne,
je le sais comme si j'avais vécu sa vie moi-même

CHARLES vous avez lu bien des récits épouvantables
qui vous auront impressionnée

JEANNE je le sais Charles je le sais
je sais ce que cette femme
a été. A fait.
Et comment elle a été tuée.

CHARLES alors racontez donc
racontez-moi
cela sera un bien joli moyen
de faire passer ce ragoût de chevreau
racontez-moi
ce que cette charogne vous inspire
voyons donc si c'est pire
que ce que moi
je voudrais en écrire.

*

Et de fait, Jeanne, tu le sais.

Je peux me taire.

Ne plus faire l'effort

de me souvenir.

Alors donc Jeanne, pourquoi pas toi ? raconte-lui

raconte-moi

ce que tu sais.

Ce que j'ai fait.

Tout ce que Charles, lui, ne peut pas dire.

*

JEANNE à minuit elle part, la nuit où elle décide

d'agir. Pour sa petite sœur,

et ses amies qui étaient comme des sœurs.

Elle part dans les flaques d'une neige

fondue récemment,

les rues traîtreuses sont givrées.

Elle tient dans sa main

l'objet.

*

CHARLES l'objet ?

quel objet ?

*

XVII. AVEC L'OBJET, ANNÉES 1840-1850

Grande griffe. C'est par cet objet qu'elle sera connue.
Grande griffue.
Vêtue de manteaux mités, dans la gorge un grognement
tout prêt.
Toutes ces années elle tue dans la nuit qu'elle transperce,
dans des rues qu'elle traverse
griffe à la main, délicatement recourbée.
L'objet qui a servi à coudre les vêtements,
à réparer les plaies béantes,
à décrocher les enfants, sert
aujourd'hui, à tout autre chose :
à perforer les hommes gras et roses,
bourrés de bonne chère, repus des chairs
moroses
des femmes grises des maisons closes.

✻

[Le poète se gargarise de sauce du ragoût
et du drame qui se noue]

CHARLES diable, vous faites d'elle
une authentique tueuse !
vous m'aurez caché ce penchant pour les scandales.
mais continuez, Jeanne,
ne me laissez pas vous interrompre.

*

Grande griffue, Paris est son enclos de bête.
Entre la Seine flasque et les parcs poudreux,
entre les marbres froids des quartiers de diamant
et les boiseries véreuses de sombres bouges,
elle déniche ceux dont on lui a dit :
il a frappé *il a abandonné* *il a tué*
une amie qui était comme une sœur.
Elle les déniche pour qu'ils meurent avec l'objet en eux.
Elle apprend comment, de la griffe fine, offrir une mort
brève mais écarlate.
Pourfendre, sous la peau grenue,
un cœur épais sous son masque de graisse ;
dérouler d'un ventre poilu
les boyaux recroquevillés ;
par le canal d'une oreille, ou d'une narine pointillée,
détricoter une cervelle.

*

CHARLES c'est de plus en plus amusant
c'est une histoire de vengeance
ce n'est certes pas subtil mais c'est divertissant
c'est une histoire qui a quelque chose de résolument
moderne.
continuez.

*

Le premier qu'elle pique est l'homme-bélier.
Elle va le chercher dans sa bergerie
de soieries chatoyantes et de bois chauds des îles.
Elle est l'ombre grande griffue
dont il aperçoit le profil
sur le portrait d'un vague aïeul.
Elle n'est pas encore chevronnée, elle ne s'y prend pas bien,
l'aiguille la guide mal, elle n'a pas la connaissance
de ces corps-là, elle hésite, se plante de biais,
hoquette, trébuche,
ne comprend pas ce qu'on exige d'elle.
Pendant ce temps une grappe de bulles roses
gigote silencieuse, agglutinée aux lèvres blondes

de l'homme-bélier. Ses yeux d'un bleu de petit-lait
regardent très au-delà, pensifs.

Elle le laisse drapé sur son fauteuil.
Il a pris, dans la mort, une douceur
de manteau de fourrure.

✻

CHARLES   il y a en ce moment comme une fougue
un engouement
pour de tels récits sanglants
peut-être en y appliquant votre plume
réussiriez-vous un charmant petit roman
Jeanne
un dessert?

✻

Les autres hommes, un entassement d'autres hommes :

Celui   qui bascule d'un pont dans le fleuve, qui le boit.
Celui   au sang épongé par la boudeuse parme
où il s'assoupissait.
Celui   sous la porte cochère, mort, mais resté debout,
jusqu'à l'aurore.
Celui   pêché à la sortie d'un coche,

hameçon dans la gorge.
Celui baleineau très ventru,
qu'il lui fallut piquer trente fois et sept de plus.
Celui laissé pourrir dans un grenier fermé,
tout un été.
Celui en train de manger du museau de porc.
Celui dégoulinant de pluie, rieur,
au coin d'une église brillante.
Celui au surprenant visage d'angelot éberlué.
Celui si flasque que c'est comme flanquer des coups d'épingle
dans une colline de gelée.

*

CHARLES et tous ces hommes-là se laissaient faire ?

*

Non.

Il y eut
ceux qui se défendirent et qui luttèrent.
Celui qui lui fendit la lèvre avant de s'affaisser.
Celui qui lui mordit le bras, qui lui cassa le pouce,
arracha des poignées de cheveux, chiennement.

Ceux qui faillirent la tuer.
Avec : le pistolet qu'elle n'avait pas vu,
éclair noir-vert de poche sombre ;
les poings nus,
les poings gantés,
le coutelet à huîtres,
les pieds bottés,
les pieds nus,
l'épée d'un ancêtre décrochée du mur,
une brique,
une barre,
des doigts étrangleurs.
Avec tous ces objets qui ne furent jamais
plus puissants que son objet
à elle.
Jusqu'à
ce que finalement
on réussît à la tuer.

*

CHARLES comme il me tarde
d'apprendre le nom de ce vainqueur !

XVIII. RUE DE LA FEMME-SANS-TÊTE, 1855 (QUELQUES JOURS PLUS TÔT)

La petite sœur
au milieu des amies qui étaient comme des sœurs,
était récemment déroussie. Elle avait les cheveux bruns,
avec un reste dedans de soleil des montagnes.
Tout en elle était reste. Reste de beauté nuageuse,
reste de fierté jaune dans les yeux,
reste de joie, reste de mélancolie,
tout ce qu'elle avait été un jour jusqu'à l'excès,
elle ne l'était plus que peu,
comme la cendre garde quelque temps sa tiédeur
dans ses replis les mieux tassés.
La petite sœur mordillait un bonbon ; se rappelait
les jours meilleurs. Se rappelait les montagnes,
et l'air qui était toujours un peu rose de pluie
et la rivière qui enlaçait les pieds
et les asters danseurs sous la pichenette du vent.

Se rappelait la maison de l'enfance,
le grand-père aux yeux de très grand chien gentil,
les parents. Où étaient-ils à présent?
Le frère qui avait trébuché sur un caillou.
Se rappelait ce monde-là
comme on regrette un paradis.
Et même ce frère, qui était l'ennemi,
il lui tirait des soupirs, car il avait la montagne en lui,
dans son corps dangereux; il avait ses pics et son ubac,
même lui éveillait la nostalgie.
La petite sœur
regardait par la fenêtre Paris engourdi,
la grande Seine molle,
le charbon des nuages.
Pensait au petit qu'elle avait demandé à Grâce d'endormir,
pensait à sa sœur qu'elle avait perdue,
pensait à ses amies qui étaient comme des sœurs.
Pensait aux hommes que Grâce avait vaincus,
et de penser à eux ne lui apportait plus aucun bonheur,
plus aucune joie de vengeance,
parce qu'ils étaient simplement d'autres carcasses
dans le monde que Grâce avait fracassé.
En leur disant: venez à Paris

avec moi, venez,

et nous échapperons aux maris de la montagne,

et nous échapperons à la petitesse des sommets,

à ces chèvres et à ces cloches d'église qui sont notre seul avenir.

La petite sœur pensait que Grâce avait tout gâché.

*

CHARLES allez-vous inventer que c'est elle qui l'a tuée?

*

Pas inventer mais raconter.

Jeanne la muse avec tes visions de prophétesse,

avec ce lien entre toi et moi

vibratile,

souviens-toi à ma place…

Il est presque minuit, ce qui était mon corps

va se perdre dans les coups de cloche. Ma mémoire

s'accroche à peine encore aux cordelettes des fraises sauvages.

J'ai oublié.

Raconte-moi ma mort.

*

La petite sœur,
ce soir, a écrit à Camille,
qui est venu la retrouver.
Il n'a pas vu depuis des mois la femme qu'il aime,
ou aimait. Il est gracile comme une ombrelle,
le visage-muraille.
Depuis que Grâce est devenue cet envers de Paris,
cette ouvrière de la nuit,
grande griffue,
il l'attend vainement dans la chambre glacée.
Il ne sait où elle va coucher,
il ne sait quand elle reviendra.
La petite sœur et lui s'engagent dans les rues,
et s'endédalent jusqu'à l'aurore,
aux aguets, à la recherche de leur minotaure.
Mais ne voient personne. Le lendemain, ils apprendront
qu'un cuisinier a été tué au détour d'une avenue
où ils étaient passés ; pourtant, ils n'ont rien vu, rien entendu.
C'est comme si les ténèbres mêmes avaient tué,
tenant ferme l'aiguille dans leurs gants d'ombre.
Le lendemain ils y retournent,
arpentent la ville violente,   s'orientent
par les constellations brutales :   cris suraigus,

coups sourds,

objets qui tombent.

Mais ces bruits-là, petits cailloux blanchâtres,
ne les mènent jamais
à Grâce, qui opère en silence.

La nuit d'après encore ils repartent en errance.

Cette fois ils restent dans le noir. Cette fois ils restent là
où on n'entend plus rien. Ils ont compris
que la nuit Grâce se fait absence,
absence de toute secousse,
absence de tout fracas,
absence de toute lumière.

En cherchant cette absence, ils trouvent Grâce, facilement.

Tout est en forme de tableau. Elle tient par-dessus sa tête

l'objet,

dressé.

Dessous, un homme est endormi
dans une flaque aux reflets cuivre, entre les pavés déchaussés.
Elle s'apprête, très longtemps, à fondre sur ce sommeil ivre.

Si longtemps, que la petite sœur et Camille la contemplent
comme on contemplerait une œuvre dans un musée,
curieux, intéressés,
interpellés peut-être par le sujet,

par l'objet.
Et pas vraiment de peur dans cette contemplation ;
il semble que jamais ni l'un ni l'autre ne bougeront.
Enfin la flèche frappe, à une vitesse de faucon.
Elle s'abat sur l'homme aux rêves profonds.
Tout d'abord aucun sang. Puis une fontaine.
Elle a frappé une veine grosse comme un tuyau,
qui se vide.
La vie de l'homme s'en va entre les pavés.
La petite sœur et Camille n'ont pas cessé de regarder
ce tableau animé, encadré pâlement
par la lumière de la lune et celle de trois chandelles,
taches grasses à quelques fenêtres des alentours.

*

CHARLES que pensent-ils alors ?
pensent-ils que tout ce qui était beau
chez elle,
ce qu'elle avait de délicat,
est mort,
qu'elle n'est plus qu'une gorgone,
une mégère ?

*

Non, ils ne pensent rien. Ils contemplent encore.
Ils se nourrissent de ce tableau.
Ils ignorent le crime commis par cet homme
endormi, qui selon Grâce a mérité la mort.
Mais parce que son cadavre maintenant
semblerait presque incandescent,
rouge et or dans la noirceur de Paris assoupi,
ils se prennent à penser qu'elle a eu raison
d'avoir raison de lui,
et de tous les autres aussi.
Grâce laisse derrière elle la belle dépouille,
qu'on cueillera demain,
rabotée par les chiens errants.
Elle va par les rues. La petite sœur
et Camille la suivent.
Elle ne s'arrête qu'un instant, pour s'essuyer la gorge,
qui a été arrosée de sang
pendant –

*

CHARLES ah non
c'est le détail de trop
vous le retirerez, Jeannette,

cela fait trop vampire, cela fait trop
livre de mauvais goût écrit en Angleterre

*

Mais c'est la vérité. Le meurtre est un travail fort salissant.
Alors à ce moment,
la meurtrière se retourne, et voit la petite sœur,
et Camille, tapis dans l'ombre.
Elle leur dit *Vous me suivez depuis longtemps*
ce n'est pas une question *Vous me suivez* affirme-t-elle
je vous ai sentis
elle veut vraiment dire sentir
Mes narines ont acquis l'acuité d'une bête
Grâce, implore la petite sœur,
Grâce, implore Camille,
Grâce, continue la petite sœur,
je t'en veux car tu nous as sorties de nos montagnes,
je t'en veux d'avoir brisé notre insouciance,
regarde mes lobes d'oreille
plus rien plus rien du tout en eux de l'enfance.
Grâce opine. Elle a depuis longtemps vu cette déchéance.
Grâce, reprend Camille,
tu as cousu des pièces de chiffon, et puis

tu as recousu des femmes perdues par les docteurs,
puis tu as endormi des enfants perdus,
poussant de plus en plus avant ton aiguille,
maintenant tu es le dessous hideux de la ville,
la grande griffue, égarée,
je ne reconnais plus la femme que j'ai aimée

Grâce se tient très droite dans le tableau redevenu immobile.

Les deux crient : *Grâce,*
tu ne peux pas continuer ainsi à hanter le monde,
à retrancher de lui ce qui est palpitant de vie
Grâce, reviens à tes coutures, reviens à ce qui était
inoffensif ; à tes étoffes.
Que jamais ton aiguille ne s'aventure à nouveau
sous la peau des humains.
Elle te guide sur des chemins immondes…

À ces mots Grâce s'effondre.

*

Je m'effondre ? moi ?
Jeanne ! *raconte l'histoire telle qu'elle se déroula.*
Jamais tu m'entends jamais je ne m'effondre
ni ne m'effondrai

*

Elle croit s'évanouir

Jeanne jamais
je ne crus m'évanouir.

CHARLES convaincue sans doute par ce discours !

Jamais un tel discours
ne m'aurait convaincue

Non. Jamais un tel discours
ne l'aurait convaincue. Non.

ah ! voilà.
Certainement pas.

Mais elle s'effondre car alors,
elle comprend :
comprend que le monde,
même la petite sœur qui l'a vue être mur,
et faire barrage ;
même le docteur amoureux qui avec elle
a tout compris des plaies des femmes
et entendu leur rage,
même ces personnes-là croient que c'est elle qui est
déraisonnable,
croient que c'est elle qui est sorcière,
croient que c'est elle qui devrait se faire
inoffensive.

Voudraient que ses aiguilles servent uniquement
à assembler des tabliers et des jupons
que le siècle tachera du sang
des enfants non voulus, des peaux empoignées brusquement.
Toutes ces étoffes de malheur,
inoffensives…

Grâce, pépient la petite sœur
et Camille, en chœur,
estimant qu'elle se range à leurs remontrances,
tu comprends ce que nous disons, tes yeux
montrent que tu comprends. Reviens à la raison.

✻

Ce qu'elle comprend :
l'abandon.

L'abandon.

Un abandon déchirant

Oui, Jeanne, je me souviens maintenant
je revois leurs visages pleins d'espérance
la petite sœur me disant
reviens à la raison
à l'insouciance
Grâce cesse de fracasser le monde

Alors que c'est ce siècle qui se fracasse,
qui les fracasse,
les petites sœurs,
les amies qui étaient comme des sœurs…

❊

Donc,
elle refuse.

J'ai refusé cette conclusion.
J'ai refusé de revenir à la raison.

❊

CHARLES et alors ils la tuent avec son aiguille ?

❊

Non.

❊

CHARLES et alors elle se tue avec son aiguille ?

❊

Non.

Non. Elle les suit.

Elle les suit jusqu'à la rue de la Femme-sans-Tête.

*

CHARLES comme ça, sans mot dire?
pour ensuite par surprise
se tuer avec son aiguille?
les tuer
avec son aiguille?
forcément.
c'est comme cela que ça doit se finir
dans un roman
surtout de ces romans épouvantables
comme celui-là dont vous me faites l'invention
et qui me plaît beaucoup,
du moins à la table du dîner,
comme distraction, certainement cela amuse,
Jeanne, vous avez un petit talent de conteuse
alors racontez-moi comment on tue notre tueuse.

XVI. RUE DE LA FEMME-SANS-TÊTE, 1855 (LE MATIN PRÉCÉDENT)

Le salon rouge qui ressemble à une bouche n'a pas changé,
s'y tressent les corps des femmes à l'odeur de musc,
s'y entrelacent les filins de fumée des cigares
et les pendeloques des lustres,
et les cheveux dénoués, et les rubans, et les lacets.
Quand on voit entrer Grâce, il y a dans les regards
ce respect, empreint de crainte,
et de victoire,
qu'on réserve aux ours ou aux lions domptés.
la voilà celle
qui à trop vouloir le bien a fait le mal
qui décime notre clientèle *qui est la démone du soir*
la femme qui se croit plus puissante *qui hante la capitale*
celle dont le journal dit qu'elle ressemble à un fantôme
grande griffue *la voilà celle qui est le danger même*
et la mort même
celle qui nous condamne toutes *la voilà ! qu'elle ait sa pénitence*
sa punition *qu'elle reçoive ce qu'elle mérite*

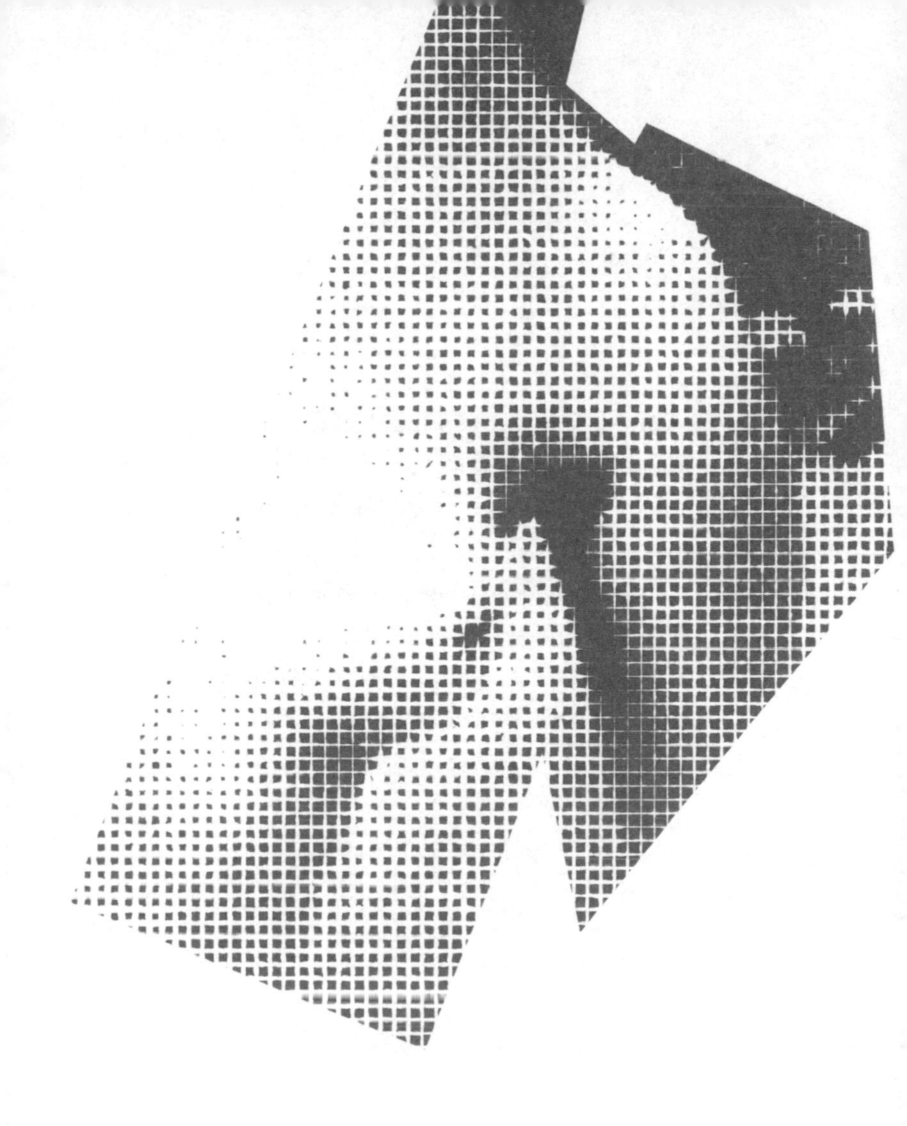

*

CHARLES	et alors elles la tuent avec –
JEANNE	chut !

*

Et alors
lentement les femmes de leurs longs bras blêmes
mènent Grâce au cœur du salon.
Elles ont les lèvres douces, d'où sort une voix douce.
En chœur,
elles disent *nous sommes prêtes, Grâce, à te pardonner,*
de la part de ce siècle et de ce monde,
en mémoire des petites sœurs que tu as protégées
et des amies qui étaient comme des sœurs
que tu as aidées,
que tu as soulagées,
que tu as consolées.
si tu cesses, Grâce, tes œuvres,
considère que tu es sauvée.
Ainsi elle pourrait obtenir l'absolution.

*

CHARLES éviter la police, la prison, la décapitation.
c'est un peu dommage cela dit
car la foule aime une femme assassine

*

Le chœur des femmes reprend :

Reste ici à nous coudre des corsets, Grâce,
à repriser nos bas, *tu es une couturière miraculeuse*
ton aiguille baguette de fée
reste ici ou tu es condamnée reste *parmi tes sœurs*
oublie les nuits où rôdent les hommes
Apprends que :
les malheurs
qui nous sont causés
sont aussi naturels que les saisons.
Nous tombons parfois, comme les feuilles à l'automne.
Ainsi va la vie et ainsi va le monde.
Reviens à la maison.

Silence après cette imploration. On croit un instant que Grâce,
pareille au lion qui se résout aux rets,
va céder.

*

CHARLES		mais non !

*

Mais non.

Mais non,

certainement pas, non.

Ce qui se passe ensuite est rapide et rouge.

Grâce se faufile, orvet,

jusqu'à l'escalier. Ce sera

son dernier escalier,

velouté, aux clous de cuivre,

aux rambardes de bois couleur poivre.

Soudain,

un bruit de chute.

Chute comme dans un ravin.

Choc de chair et d'os. Elle a enjambé la rambarde,

est tombée

tout en bas et sa chute

l'a menée

non pas tout à fait jusqu'au sol,

mais juste avant, sur une interposée,

une imprévue

console		blanche,

en bois dur.
Bois qui fend la peau.
Bois qui casse l'os.
Une console où s'arrête la vie de Grâce. Et

*

CHARLES bien
cela suffit
la plaisanterie
a assez
duré

*

Non.
Nous n'avons pas fini de raconter.
Comment sa sœur et ses amies qui étaient comme des sœurs
l'ont ramassée,
l'ont transportée au tout petit matin,
terrassée, jusqu'au détour de ce sentier,
laissée là,
ont jeté les morceaux ensanglantés de la console…

*

CHARLES assez
je ne veux plus de cette histoire
Jeanne vous m'entendez
elle est inutile cette histoire
assez

JEANNE c'est le détail de la console qui te gêne?
simple hasard
peut-être est-ce le genre de meuble
qu'une femme trouve souvent sur son chemin

CHARLES assez assez

JEANNE ne vous resservez pas à boire
vous aurez mal au crâne

CHARLES rentrons

JEANNE vous ne voulez pas la suite de l'histoire?

CHARLES non
assez assez
j'ai moi-même mon poème
à écrire
ma version. Ne me dérangez pas

JEANNE écris alors écris
tandis qu'agonise cette femme
qu'on jeta sur une console

*

CHARLES	de qui parles-tu
	elle ou toi
JEANNE	je ne sais pas, Charles.
	je ne sais pas.

XVII. DÉTOUR D'UN SENTIER, 1855 (AURORE)

Ainsi m'est rendue la mémoire de ma mort.

Ainsi puis-je dire dans le bleu-rose du matin :
Adieu le chemin
Adieu le siècle
Adieu les hommes
et adieu les petites sœurs
et adieu les amies qui étaient comme des sœurs
Adieu Camille
Et adieu toutes les petites vies endormies
Adieu la montagne fraîche
Adieu les rues de Paris d'un noir
de chair de pruneau
Adieu la nature douce qui a léché mes plaies,
et qui m'a avalée,
Adieu le détour du sentier.

*

Adieu Charles. Merci pour la vie que tes vers me donneront.

*

Et adieu Jeanne. Merci de m'avoir laissée entrer
en toi, qui es semblable à moi.
Non pas parce que nous serons toutes deux ordures,
mais parce que tu es ma sœur ;
ou comme une sœur.
Parce que toi aussi ta mémoire perdure
à travers les mots du poète,
et ton histoire comme la mienne est perdue,
évanouie entre les brins d'herbe,
racontée à peine avant la perte ;
entre un matin d'été si doux et le suivant,
entre le temps des morts et celui des vivants.

*

Adieu, Jeanne des îles, adieu.
Et si le ciel un jour nous rend à nos deux corps,
viens à moi sans la morsure verte de la maladie
viens à moi débarrassée de tes blessures.
Sauf une ? celle de notre temps ;
blessure des consoles,

cicatrice de ce siècle.
Viens à moi avec cette blessure
et les points de fil mince que je te donnai dans la grâce.
Viens à moi avec cette blessure
de notre siècle,
que très tendrement je l'embrasse,
que très tendrement j'en inspecte
les sutures.

De la même autrice (sélection)

LES PETITES REINES

Sarbacane – 2015

J'ai lu – 2019

Meilleur livre jeunesse 2015 du magazine LIRE

Prix Sorcières 2016

SONGE À LA DOUCEUR

Sarbacane – 2016

Points – 2018

BREXIT ROMANCE

Sarbacane – 2018

J'ai lu – 2020

ÂGE TENDRE

Sarbacane – 2020

Couverture et conception graphique : Quintin Leeds
Iconographie : Pascale Dubreuil-Ferrieux
Révision : Isabelle Paccalet et Anaïs Pournin
Photogravure : Les Artisans du Regard

L'Iconoclaste
26, rue Jacob, 75006 Paris
Tél. : 01 42 17 47 80
iconoclaste@editions-iconoclaste.fr
www.editions-iconoclaste.fr

Achevé d'imprimer sur les presses de l'imprimerie Corlet
à Condé-en-Normandie en février 2021.

ISBN : 978-2-37880-196-0
N° d'impression : 21020250
Dépôt légal : Avril 2021

L'Iconopop

Des textes brefs, intimes
et percutants
Des formes libres et variées
Cris de colère, récits ou poésies

Une littérature d'aujourd'hui
Crue et sans tabous

À lire, à dire
À écouter
À vivre sur scène

Dans la même collection

LA FAIM DE LEUR MONDE
Akhenaton

MAISON TANIÈRE
Pauline Delabroy-Allard

BRÛLER, BRÛLER, BRÛLER
Lisette Lombé

LE DÉRÈGLEMENT JOYEUX DE LA MÉTRIQUE AMOUREUSE
Mathias Malzieu & Daria Nelson

DES FRELONS DANS LE CŒUR
Suzanne Rault-Balet

Une collection dirigée par Cécile Coulon et Alexandre Bord